Rive-Sud,
P.Q.

Catalogage avant publication de Bibliothèque et Archives nationales du Québec et Bibliothèque et Archives Canada

Morgan, Jean-Louis, 1933-
Rive-Sud, P.Q. : la cité de la misère
ISBN 978-2-89585-449-4
I. Titre.
PS8626.O744R58 2014   C843'.6   C2014-941122-7
PS9626.O744R58 2014

Les Éditeurs réunis bénéficient du soutien financier de la SODEC et du Programme de crédits d'impôt du gouvernement du Québec.

Nous remercions le Conseil des Arts du Canada de l'aide accordée à notre programme de publication.

Nous reconnaissons l'aide financière du gouvernement du Canada par l'entremise du Fonds du livre du Canada pour nos activités d'édition.

Édition :
LES ÉDITEURS RÉUNIS
www.lesediteursreunis.com

Distribution au Canada :
PROLOGUE
www.prologue.ca

Distribution en Europe :
DNM
www.librairieduquebec.fr

 Suivez Les Éditeurs réunis sur Facebook.

Imprimé au Canada
Dépôt légal : 2014
Bibliothèque et Archives nationales du Québec
Bibliothèque nationale du Canada
Bibliothèque nationale de France

JEAN-LOUIS MORGAN

Rive-Sud, P.Q.

LA CITÉ DE LA MISÈRE

LES ÉDITEURS RÉUNIS

Longueuil-Est n'a jamais existé.
Et pourtant, j'y ai laissé mon cœur.

Chapitre 1

La radio de la voiture grésillait : *"And now, the Trans-Canadian Hit-Parade in Montreal… This week, at the top : The Little White Cloud That Cried, by Johnnie RRRRay…"* Bon, la musique repartait sur CJAD. Les mêmes niaiseries interminablement chantées, hurlées, chargées de publicités. Puis, je tombai sur CKVL et sa Parade de la chansonnette française, où Luis Mariano célébrait les charmes de Mexico de manière aussi lancinante que celle de Ray, le chanteur américain aveugle. Étant donné que le curseur du poste de radio, dit « ayem » ou AM, patinait sur son fil de nylon détendu par la chaleur suffocante qui régnait dans l'habitacle, le plus simple était de clouer le bec à tous ces interprètes.

Par cette journée humide de juillet, après m'être rendu sur la Rive-Sud par le pont Victoria, avoir traversé la banlieue cossue de Saint-Lambert et suivi le plan compliqué qu'on m'avait dicté au téléphone, j'approchai enfin de ma destination. J'avais bien demandé trois fois quel était le bon chemin pour se rendre à Longueuil-Est. À deux reprises, des passants interrogés à Saint-Lambert avaient simulé l'ignorance et, finalement, à Longueuil, une femme d'allure bourgeoise m'avait fourni les renseignements à regret, l'air dégoûté.

Oui, j'y étais. Un alignement de poteaux téléphoniques plantés au bord d'une chaussée poussiéreuse, comme dans quelque bourgade africaine. Des travaux partout. Chaque véhicule qui passait soulevait un nuage de poussière jaune et collante, mais là, point de palmiers ou de gracieuses Noires à boubous éclatants qui eussent pu illuminer le décor. Des commerces aux devantures mornes, aux enseignes mal définies. « Toute à vendre icitte », lisait-on sur une banderole barbouillée de lettres maladroites. Paradoxalement, sur le même commerce, une pancarte annonçait « Gade au chien » au lieu de « Prenez garde ». De quoi éloigner les clients trop curieux. Dans un coin, des enfants, déjà vieux et canailles, tiraient à la carabine à plomb sur un chat coincé au fond d'une cour.

« Mais qu'est-ce que c'est que ce trou ? Mais qu'est-ce que je fous là… » me demandai-je. J'étais prêt à faire demi-tour, quand un nid de poule bien dissimulé dans la chaussée provoqua un gigantesque coup dans ma roue arrière gauche, comme pour me rappeler que les ressorts à lames et les amortisseurs de ma Ford 1948 avaient besoin d'être remplacés et qu'avec les paiements que je versais encore pour cette carcasse, ma machine à écrire, mon appareil photo Rolleiflex de seconde main et mes cours à l'université, mon frigo était presque vide. Il fallait donc que j'améliore ma situation et que j'aille jusqu'au bout de ma folie.

Un peu plus loin, c'était le même spectacle. Des rues qui semblaient sortir d'un chantier inachevé, des taudis aux murs et aux toits en papier goudronné. Certaines de ces maisons avaient été construites à l'aide de bois provenant de toute évidence de vieux wagons de chemin de fer désossés. On distinguait encore la couleur rouge brique des planches et les inscriptions techniques habituelles à ces voitures recyclées. Ces murs étaient parfois renforcés à l'aide de panneaux publicitaires métalliques annonçant des marques de boissons gazeuses : *Seven-Up, ça ravigote, Thirsty or not, enjoy Grapette, Snow White Cream Soda, Kik Cola, Denis Cola* et, bien sûr, Pepsi qui, dans cette mosaïque, semblait supplanter l'omniprésent Coke.

Je me souvins alors que la société Pepsi vendait son produit dans des bouteilles de douze onces au lieu de six pour Coca-Cola. Dans cette banlieue peu fortunée, cette générosité lui assurait une vaste clientèle. Il n'était pas étonnant qu'ici, comme ailleurs, beaucoup de jeunes anglophones soulignent avec mépris la préférence de bien des Canadiens français pour cette boisson gazeuse en surnommant ceux-ci *Pepsis* au lieu du traditionnel *Pea Soups*.

« Longueuil-Est, ville d'avenir… » m'avait-on dit. Je faisais un gigantesque effort d'imagination pour voir cet avenir se profiler dans la poussière et les *shacks* aux planches délavées. Mais où donc était le chemin Monseigneur-Plessis ? Je demandai une fois de plus ma route. Je devais suivre le chemin de la Côte-Blood. Cela évoquait quelque appellation de gauche ou quelque drame sanglant oublié. En continuant tout droit, on tombait sur cette voie moins que royale. Mais qui était ce Plessis, au juste ? Je me souvenais, au cours de mes études classiques, m'être fait imposer une dissertation sur cet archevêque québécois, à cheval sur les XVIIIe et XIXe siècles. Le professeur de doctrine sociale de l'Église, un admirateur de ce lointain organisateur ecclésiastique, avait délimité le sujet : « De l'esprit de liberté dans la pensée de Monseigneur Plessis. Développez. » Ayant trouvé le sujet parfaitement aberrant, j'avais récolté une note catastrophique et gardé de cette expérience un indéniable sentiment de culpabilité. Je me disais que les voies du Seigneur sont parfois impénétrables et que, sournoisement, Monseigneur Plessis me rattrapait au tournant.

Absorbé par cette digression, je ne remarquai pas un bourbier nauséabond qui barrait la route sur une rue appelée Briand mais qu'un panneau maladroitement peint à la main désignait comme «Irband». Je freinai, mais trop tard. Mes roues arrière se mirent à patiner dans la fange, créée de toute évidence par l'éclatement d'un tuyau d'égout ou autre. La voiture immobilisée avait attiré quelques gamins et deux grands désœuvrés vêtus de salopettes élimées.

— S'il vous plaît… Quelqu'un pourrait-il me donner un coup de main? demandai-je. Juste une petite *poussée*…

— Combien que tu donnes? répondit l'un des rapaces qui semblait beaucoup s'amuser.

— Je ne suis pas riche, vous savez…

— Plus que nous… Entéca. *How much?*

— Tenez… Deux dollars et deux dollars à votre copain si vous m'aidez à me dégager de ce maudit trou…

— Trois piastres chacun…

— Vous fatiguez pas. C'est tout ce que j'ai. Pour le même prix, je peux aller chercher une remorqueuse…

— *Bull shit!* T'es pas mal *gratteux*, mais on va te sortir de là pour quatre piastres. OK?

Les deux hommes se placèrent derrière la voiture et j'embrayai en appuyant progressivement sur l'accélérateur. Comme elle ne bougeait pas, je décidai de recourir à une vieille technique hivernale. J'amorçai un balancement en passant successivement de la première à la marche arrière en pratiquant le double débrayage, puis ouvris les gaz à fond. La boue gicla et transforma les pousseurs en statues noires et malodorantes. Une bordée de jurons s'ensuivit et, comme si l'enfer avait entendu ces imprécations, la Ford s'arracha péniblement à son piège d'eau croupie dans le tonnerre de l'échappement du gros V-8 et le sifflement des roues.

Je sautai à terre pour m'empresser de payer les hommes, mais ces derniers m'invectivèrent de plus belle et firent mine de me menacer. Je ne dus mon salut qu'en leur donnant à chacun un dollar de plus – l'argent que je conservais pour acheter de l'essence au retour. Cette somme devait, prétendaient-ils, servir à faire nettoyer leurs hardes. Content de m'en tirer à si bon compte, je me hâtai de poursuivre mon chemin en remarquant que mes Samaritains crottés, après s'être essuyé la figure, se dirigeaient en riant vers un homme qui vendait de la bière dans sa voiture. En voilà deux qui ne mourraient pas de soif ce jour-là…

Je me perdis une fois de plus dans ces rues aménagées à la va-vite en me rappelant les sermons de mon ami Florian Perreault, étudiant en génie civil à l'Université McGill, dont l'ambition était de faire fortune dans la construction et dont le plan de carrière était déjà tracé, les alliances tissées. Originaire d'Outremont, il fréquentait la fille d'un juge qui, elle-même, étudiait la médecine.

— Écoute Éric, m'avait-il dit encore le jour précédent, alors que nous faisions un tour en décapotable, avec ton cours classique, tu pourrais aussi suivre des cours beaucoup plus payants et gagner beaucoup d'argent. Quelle idée de vouloir être journaliste ! C'est un métier de minable, de biberon, de *flasher*. On me dit toujours que même lorsqu'ils écrivent bien, ce sont des *trousses*, des *guidounes*. Je ne parle pas de ceux qui écrivent mal… Et qu'importe leur style ou leur sens de l'analyse… Qui donc en a besoin ? Ils sont comme tous les intellectuels dans leur genre. *Brains are the cheapest things on Earth…* Leur cervelle se vend à rabais sur le marché du travail…

— Mais qui c'est qui t'a fourré tout ça dans la tête ? lui avais-je demandé, atterré.

— Des gens sensés, comme mon futur beau-père, ou encore mon copain Goldman, dont le père est propriétaire de la célèbre fabrique de sous-vêtements féminins MoonMart. Au fait, tu connais leur slogan : *"With MoonMart, the chicks are geniuses for figures !"* Bon slogan pour des étudiantes en maths ou en comptabilité, hein ? Tiens, si tu es intéressé, je te présenterai la fille qui pose dans cette réclame. Y a du monde au balcon… On la voit partout. C'est Leilah Soutab, une Libanaise, je crois. Ouais… Goldman m'a dit qu'elle « marchait ». Avec ta gueule, tu aurais ta chance, qui sait ? Mais faut dire qu'elle sort surtout avec des types pleins aux as, pas avec des…

— Je sais, des fauchés dans mon genre…

— J'ai pas dit ça… Tu as du potentiel, mon *chum*, mais ne perds pas ton temps avec des *nonos*. Écoute, je t'ai déjà trouvé ta *job* de technicien en *IBM data processing* par le père de mon ami Fraser. Écoute-moi pour une fois… Qu'est-ce que c'est que cette histoire de journal à Longue-Queue-Est ?

— Tu veux dire à Longueuil-Est… C'est mon vieil ami Nils Sendersen, chroniqueur à *Montréal-Hebdo*, qui m'a mis sur la piste. Il s'agit pour moi d'une occasion de sortir de ce maudit bureau où les francophones font office de servants de pièces de machines mécanographiques IBM pour les distingués analystes… anglais, bien sûr. Je n'ai aucune attirance pour les cartes perforées. Je vais enfin pouvoir dire *bye-bye* à Al Beattie, mon chef de bureau qui s'inclinait devant le pouvoir imaginaire des distingués escrocs de capital-actions et faire ce dont j'ai toujours rêvé : écrire, maudit ! Et peut-être apporter ainsi ma brique à l'édifice…

— Les briques, oublie ça. Le bâtiment, c'est mon rayon… Ah ! Oui, la Mission de Môssieur…. Tu te fais bien des illusions. Y a pas d'avenir là-dedans. Et puis les Anglais, ils ne me dérangent pas. Fais donc un B.Sc. ou un B.Com. à McGill, ou encore médecine, et tu verras. Et tiens… Longue-Queue-Est, tu sais ce que c'est ? Une immense *dompe* qui gît au pied de la grand-ville. L'été, ses odeurs ne montent pas jusqu'au mont Royal où les jeunes visiteurs américains échangent des propos enflammés et empreints d'argent. Heureusement *christi* ! Que deviendrait notre industrie touristique ? Ouais, Longue-Queue-Est, c'est une ville-dépotoir où tous les déchets de la Grande Dépression des années trente sont allés s'empiler. C'est administré par la petite pègre locale. Un bouillon de culture où tu vas te noyer et t'empoisonner…

— C'est aussi ma chance d'acquérir du métier, d'être utile, de me faire un nom…

— Un nom ? Je vois cela d'ici aux nouvelles de Radio-Canada : « Éric Sanscartier, le grand reporter du Torchon de Longue-Queue-Est, est sur les lieux… » Aujourd'hui Longue-Queue, demain le monde. Du Torchon à *La Presse* et au *New York Times*. Crois-moi, tout ça ne mène nulle part… C'est nul et non avenu… Réveille-toi, *criss* ! Réveille-toi… C'est quoi, ça ?

Au premier arrêt, je m'étais contenté d'ouvrir la porte de la Buick Dynaflow décapotable, qui appartenait à la mère de Florian, puis de descendre, sans commentaires. Tant pis pour Miss Soutab et autres relations prometteuses de mon ami.

Clouée sur un poteau surchargé de fils, une plaque de bois grossièrement peinte à la main comme celle de la rue Briand indiquait « Blvd Monsi^{gr} Plessis ». Étrange toponymie.

Il ne me fallut que quelques minutes pour trouver l'adresse qu'on m'avait indiquée. Il s'agissait d'une imposante maison de maître en pierre artificielle rosâtre, flanquée d'un édifice à deux étages d'apparence plus modeste. Dans la cour, une Cadillac et deux grosses Oldsmobile noires à moteurs gonflés semblaient cuire au soleil. Cette propriété, qui eût valu très cher ailleurs, se tenait non seulement au milieu de terres en jachère, dénuées d'arbres, mais faisait face à un casseur de voitures et à un dépôt d'ordures où un bulldozer asthmatique faisait de l'épandage. De la musique d'orgue s'échappait de la somptueuse demeure. Mélomane à mes heures, je reconnus la *Symphonie numéro trois* de Louis Vierne.

Je ne tardais pas à comprendre qu'il ne s'agissait pas d'un disque ou de la radio mais d'un orgue véritable dont les accords puissants rappelaient les églises les plus riches de Montréal. L'insolite de la situation me subjuguait. Le décor cadrait mal avec le noble instrument qui remplissait tout l'espace sonore et couvrait le tintamarre du bulldozer ainsi que le grincement de la grue du casseur de voitures.

Après avoir sonné, un personnage sorti tout droit d'un film mexicain de mauvais goût ouvrit la porte. Le teint basané, les moustaches conquérantes, vêtu de manière clinquante, il me fit un signe inquisiteur du menton. Je me présentai.

— J'ai rendez-vous avec M. Robidas… Je suis Éric Sanscartier…

— Ah! Ben *câlisse*! Le journaleux, acquiesça le portier improvisé avec un indéniable accent des milieux interlopes.

Déjà, mentalement, je décidai de surnommer ce type «le Cubain». Comment ce présumé Latino-Américain s'était-il aussi bien intégré à notre milieu? De quelles exotiques amours était-il le fruit? Mystère. Il se présenta à son tour.

— Moé c'est Butch Dulac… de la famille Dulac de Saint-Henri. Théo va te voir…

Il me fit passer dans une pièce meublée d'un bureau massif aux pieds en bois torsadé, d'un cendrier de laiton sur socle, d'un portemanteau de faux marbre rose et vert et d'une armoire qui contenait des carabines de chasse et des fusils de différents calibres, tous cadenassés à l'aide d'une barre. Au mur, un espadon empaillé, probablement le souvenir d'une partie de pêche dans les mers du Sud et, épinglées sur un panneau de liège, des babioles comme on en trouve dans les magasins de souvenirs bon marché à travers l'Amérique du Nord : des culottes de femmes miniatures portant en surimpression des textes qui se voulaient lestes mais qui, en anglais comme en français approximatif, se prétendaient coquins et ne reflétaient qu'une déprimante tristesse. Détail exotique : on apercevait un palmier artificiel amassant la poussière dans un coin de la pièce. Était-ce une idée du «Cubain»? Sur une petite table, un plateau sur lequel trônaient un quarante onces de Seagrams V.O. et des bouteilles de Seven Up. La musique d'orgue continuait à trancher avec le mauvais goût qui suintait de ce bureau. Et voilà que l'organiste attaquait à présent l'un des chorals de Bach – «Lequel au juste?» me demandai-je. Peu importe, mais c'était sans aucun doute extrait de l'*Orgelbüchlein*.

— Butch, va donc dire à Suzal qu'elle arrête son *organ*, ordonna le personnage corpulent qui se trouvait derrière le bureau.

Ce dernier – le patron, de toute évidence – fit les présentations.

— Mon nom est Théo Robidas. T'as déjà rencontré Butch. Lui, c'est Fern Gingras, mon associé dans le journal. Lui, c'est Charlie Lagoose, qui s'occupera de la distribution. Lui, les gars, c'est Éric Sans… sans quoi encore ?

— Sanscartier…

— Ah ! Ouais… Sanscartier. Au fait, as-tu de l'expérience dans le journalisme ? J'avais pensé à Nils Sendersen, mais il ne voulait pas changer de *job*. Alors, comme je te l'ai dit au téléphone, il m'a donné ton nom…

Faute de perdrix, M. Robidas se contentait du merle. J'eus envie de lui lancer qu'il n'était pas très délicat de me le faire remarquer, mais je n'étais pas en position de discuter.

— De l'expérience comme pigiste au réseau international de Radio-Canada avec René Lévesque et Judith Jasmin, et au journal *Le Canada*, depuis deux ans. Dans des hebdos aussi. Je sais faire de la photo. Et puis, j'étudie encore et j'aimerais aller me perfectionner en Europe ou aux États-Unis. D'ailleurs, voici mon curriculum vitæ…

Théo Robidas jeta un coup d'œil distrait au document. « Lévesque ? Jasmin ? Connais pas ! C'est pas des vedettes… » Il prononçait ce mot « veu-eudettes ». Puis, il fit mine de réfléchir. Je pris conscience soudainement que les patrons de journaux que j'avais rencontrés à ce jour ressemblaient peu à ces curieux interlocuteurs. Quoique vêtu d'un complet relativement classique, Robidas portait une chemise noire rehaussée d'une cravate d'un blanc immaculé. Il n'y avait rien à redire du costume de Gingras, mais celui de Lagoose, qui gardait son chapeau à large bord à l'intérieur, me fit penser au plumage d'un ara. De toute évidence, il se l'était procuré au coin des rues Saint-Laurent et Sainte-Catherine, chez l'un de ces merciers dont la clientèle était composée de gens en mal de vêtements un peu plus colorés que ceux qu'ils portaient habituellement dans les établissements pénitentiaires. Sa cravate, représentant une pin-up et un palmier sur un fond bleu électrique, était en soi un poème.

— Ton résumé est correct, déclara Robidas, à part que tu as travaillé pour Le Canada, ce maudit journal libéral déficitaire avec ce *tabarnaque* de Jean-Louis Gagnon qui critique toujours notre Premier ministre…

La musique d'orgue s'était tue.

— Je n'y ai travaillé que comme simple pigiste aux mondanités et aux spectacles, Monsieur. Je ne fais pas de politique, vous savez. Je n'ai pas le temps…

— J'aime mieux ça. Tu commences quand?

Apparemment, il était prêt à m'engager sur-le-champ. Sendersen m'avait recommandé d'exiger un papier quelconque, une sorte de contrat de travail.

— Je ne sais quoi répondre, Monsieur… Je suis un peu pris au dépourvu… J'ai un emploi stable dans une importante maison et je voudrais être honnête avec eux et leur donner un préavis acceptable… Et puis, j'aimerais certaines garanties, un contrat de travail d'un an, par exemple, pour voir venir… Je ne voudrais pas vous offenser, mais vous êtes un homme d'affaires et vous savez que bien des journaux locaux ne survivent pas à leur première année de publication. Si j'étais sans emploi, ce serait différent, répondis-je.

— Ah! Ah! Un petit *barguigneux*… Mais je comprends ça. Écoute: tu sais *typer*. Installe-toi dans le bureau à côté et fais-le, ton contrat. Je te le signe tout de suite, et devant témoins. On connaît ça les témoins… Et, ici, ils ne manquent pas, hein les gars?

Les autres eurent l'air de trouver cela très drôle et éclatèrent à l'unisson d'un rire gras.

— Nous sommes mercredi, reprit-il. Disons que tu commences lundi prochain?

— J'aimerais connaître exactement la nature de mes fonctions…

— Y a rien là. Tu deviens le rédacteur en chef de notre nouvel hebdo, *The South Shore Phœnix de la Rive-Sud*. Comme tu vois, le titre fonctionne aussi bien en anglais qu'en français. Tu ramasses l'information, tu corriges, tu écris des articles de nouvelles, sauf ce qui est politique. Je m'occuperai de ça. Tu t'occupes du *type setting*, du *lay-out* et de l'imprimeur. Tout ce que je veux, c'est que chaque mercredi matin le maudit journal soit prêt à être distribué…

Cette singulière description de tâches révélait que Théo Robidas ne connaissait pas grand-chose au métier, tout au plus quelques mots techniques et passe-partout en anglais. Et lorsque mon futur patron me parlait d'« articles de nouvelles », il y avait de quoi être perplexe.

— J'aimerais avoir une précision, Monsieur Robidas. Étant donné qu'il va falloir que je remplisse ces pages et que je me trouve des collaborateurs, j'aimerais connaître ceux que vous me destinez pour le côté politique, car c'est vous qui allez me les désigner, n'est-ce pas ?

— Exact. Tu laisses faire. C'est des gens qui ont fait leur cours classique, comme toi, et même beaucoup mieux. Par exemple des avocats, comme notre député, le juge Harwood-Martin. Tu connais ?

— Pas vraiment…

— Bon. Tu vas le connaître. C'est un *tough*. Il t'envoie plus de crottés en dedans que n'importe lequel de ses confrères. Les petits caves qui ne respectent pas la loi, bang ! En *dedans* ! La Justice même, Harwood-Martin… Mais un bon gars. Et puis, nous on est bien avec lui et on a l'intention que ça continue. En tous cas, de la politique, t'en fais pas. Compris ?

Allais-je accepter cette censure ? Dans le fond, je n'avais rien à faire de leur fichue politicaillerie locale. Ici comme ailleurs, tout organe d'information était commandité par un parti, de grosses sociétés ou encore quelque organisme religieux. Qui étais-je pour vouloir changer le système ? Qu'il s'agisse du juge X ou Y, que m'importait ? Le reste n'était qu'affaires de bourgeois. Et puis, ne valait-il pas mieux compter des juges et des juristes au nombre de ses collaborateurs que des citoyens illettrés dont il allait falloir réécrire tous les textes ? Leur adhésion relèverait la qualité du journal car si on évaluait le contenu des autres hebdomadaires de banlieue, on pouvait dire qu'il volait plutôt bas : annonces en français hybride et en anglais approximatif composant plus de 75 pour cent du total, textes insignifiants du style bouche-trous, vendus en vrac par les agences américaines dites « syndiquées » qui fournissaient les bandes dessinées en prime. Aucune politique éditoriale. Bref, des circulaires au service de la société marchande. Le plus compliqué était de faire la mise en pages et de savoir jouer avec les clichés en zinc et les lignes de plomb des linotypes. Il y avait certainement moyen de faire mieux, même si un parti politique, ne fût-il que municipal, décidait d'exercer un certain contrôle sur le contenu de la feuille.

— Pis ? insista Robidas.

— Ça me va… De toute façon, je vous le répète, ce n'est pas la politique qui m'intéresse. Pour moi, il y a bien d'autres choses dans un journal de quartier…

— *Attaboy*… Je crois qu'on va s'entendre. Tu auras cent piastres par semaine, plus commission. Tu auras du temps libre. Tu pourras te faire deux, trois, quatre cents piastres par semaine si tu es bon vendeur d'annonces. Tu as une voiture ?

Je fis signe que oui en lui montrant ma triste guimbarde par la fenêtre.

— Alors tu ne tarderas pas à la changer…

Je signalai à mes futurs employeurs que le titre même du journal était boîteux. En anglais, le bandeau *The South Shore Phœnix* fonctionnait, mais en voulant économiser de l'espace en faisant un nom bilingue, on tombait dans un langage approximatif. On pouvait parler du *Phénix de la Rive-Sud* et non du *Phœnix*. Je proposai donc, soit de changer d'intitulé, soit de donner priorité au français, quitte à répéter en lettres moins importantes l'annonce en anglais.

— Parle-moi de ça, avait répondu Robidas. Voilà un gars qui prend déjà des décisions… On en parlera lundi. OK?

Tous les espoirs étaient donc permis. Au lieu de végéter dans un obscur bureau à 25 dollars par semaine, au milieu de petits cols blancs dont les mieux payés ne rapportaient guère plus de 60 dollars chez eux, j'allais pouvoir, avant même de terminer mes études, acquérir une expérience extraordinaire dans une ville nouvelle, mettre de l'argent de côté. Et puis, il s'agissait d'un travail de pionnier. Responsable de la feuille locale de cette nouvelle ville, mon premier emploi de petit cadre. Je me voyais comme un personnage de film, l'éditeur à visière verte et à manchettes de lustrine des westerns, le redresseur de torts que tout le monde aime bien, qui défend les causes désespérées…

Certes, ces patrons avaient l'air de parvenus mal dégrossis. Certes, cette ville n'avait rien pour inspirer le lyrisme, mais on n'avait pas le droit de juger ces gens, en somme des habitants un peu grossiers au premier abord. Je me rappelai que certains de mes condisciples, fraîchement diplômés de l'université dans des domaines comme le génie ou l'administration, n'auraient pas détonné dans ce bureau. Ce n'est pas parce que j'étais lauréat du cours classique que je devais me prendre pour quelqu'un d'autre. Et puis ici, ça bougeait, Bon Dieu! On construisait! J'avais pu le constater dès mon arrivée. Une ville-chantier! Les actions de Longueuil-Est étaient peut-être basses à cet instant précis, mais elles allaient monter et, qui sait, peut-être allais-je être porté par cette hausse? Qui pouvait affirmer que, dans quelques années, cet humble journal ne deviendrait pas un organe d'information avec lequel il allait falloir compter?

Le krach de 1929 et ses séquelles, la Deuxième Guerre mondiale, avaient laissé d'hideuses cicatrices dans le cœur des Québécois des années cinquante. Vingt ans de disette, d'humiliations, de craintes, de peurs inavouées, de sauvetages financiers *in extremis* grâce à une guerre providentielle dont personne ne voulait, de démons qu'il fallait exorciser. Deux décennies après la Grande Dépression, époque dont ma famille m'avait rebattu les oreilles, j'estimai qu'à l'aube d'une vraie carrière j'allais représenter dans mon domaine une nouvelle génération de bâtisseurs.

Je me jugeais quelque peu présomptueux de vouloir ainsi briser la chaîne des aliénations traditionnelles, des dictons défaitistes du genre «Quand on est né pour un p'tit pain…», «Un tiens vaut mieux que deux tu l'auras…», «La vie n'est qu'une beurrée de *marde*, mais plus tu vieillis, moins y a de pain…» Tous ces pleurnicheurs, ces nostalgiques d'un âge d'or mythique, d'un retour à la terre raté, ces gens qui n'avaient pas trouvé le pot de pièces d'or au bout de l'arc-en-ciel, ces oiseaux de malheur qui ne s'étaient pas levés assez tôt pour trouver leur ver de terre ne m'intéressaient pas. Je me demandais ce qu'il y avait de mal à tenter de conjurer ce destin, de s'élever plutôt que de se complaire dans un misérabilisme héréditaire. Oui, tous les espoirs étaient permis… du moins pour ceux qui y croyaient suffisamment fort. Et j'y croyais.

Après avoir passé une bonne heure à préparer le contrat de travail en sept paragraphes que j'avais en tête, l'avoir retapé, paraphé et fait signer par Théo Robidas, Gingras et Lagoose en guise de témoins, j'avais accepté de tremper mes lèvres dans un rye-Seven Up un peu trop tiède, une boisson que je détestais par-dessus tout. C'était ma façon de sceller cette entente. Je pris congé de mes futurs patrons et Butch Dulac me raccompagna. C'est alors que je fis une rencontre inattendue dans le couloir : une jeune fille d'environ dix-huit ans, en uniforme de collégienne, qui me regarda de la hauteur de ses cinq pieds trois par-dessus ses lunettes rondes.

— Mademoiselle Robidas, je vous présente Éric Sanscartier, qui va travailler pour nous autres, dit Butch.

Une fois échangées les banalités d'usage, Dulac s'absenta un moment et nous laissa seuls. Elle m'apprit qu'elle terminait ses études à Outremont, chez les sœurs, avant de continuer à l'école de musique Vincent-d'Indy. C'était donc elle Suzal, l'organiste... Je la félicitai pour sa prestation et nous nous entretînmes comme de vieux amis. Ainsi, j'appris qu'elle n'était pas la fille mais la nièce de Théo Robidas et qu'il était son tuteur. Le temps semblait suspendu. Combien de

29

temps cela dura-t-il? Je ne saurais le dire, mais c'était la première fois que je ressentais une telle attirance pour une jeune fille, et cela semblait réciproque. Comme en rêve, je m'apprêtais à engager la conversation sur Vierne lorsque Dulac me saisit le bras d'une main de fer et m'entraîna vivement à l'extérieur en prétextant quelque urgence.

— Que se passe-t-il? lui demandai-je, plutôt contrarié.

— Écoute, l'ami, j'aime autant te le dire tout de suite. Ça, c'est pas touche, pas placotte…

— Mais voyons… vous me prenez pour qui? Je sais vivre!

— Comme dit l'Indien: «Un mot à l'homme *wise* devrait suffire…», répondit Dulac en me jetant un regard cruel qui ne tolérait aucune réplique.

Toute la touffeur de la ville emplit mes poumons et la poussière m'irrita soudainement la gorge. Je ne savais quelle contenance adopter vis-à-vis de ce faux Cubain qui jouait les chaperons. Je me contentai de le saluer sèchement et d'ouvrir la porte de mon *bazou* noir qui avait emmagasiné toute la chaleur environnante. Sur la route du retour, la ville semblait avoir subitement enlaidi et une certaine nausée m'envahit. Qui étaient ces gens ? Pourquoi agissaient-ils de manière aussi fruste ? Je pensais qu'avec des personnages comme Dulac, il y aurait beaucoup de travail pour leur faire accepter mes idées. En approchant des abords de Ville-Lemoyne et du pont Victoria, mon optimisme revint. Je ne pensai plus qu'au lucratif contrat de travail qui m'attendait et à la tête d'Al Beattie, mon inepte chef de bureau, à qui j'allais enfin donner ma démission et dire ses quatre vérités.

Chapitre 2

C'est non sans une certaine appréhension que le nouveau rédacteur en chef du *Phénix de la Rive-Sud* se réveilla ce lundi matin après une nuit pleine de cauchemars. Mon départ précipité de chez mon ancien employeur m'avait laissé un mauvais goût. Soudain, la détresse de l'immense chantier que représentait la nouvelle ville où j'allais travailler me tenailla. Ces abris, ces cabanes en papier-brique ou simplement en papier goudronné me déprimaient. Je voyais mal comment de telles constructions pourraient se transformer un jour en proprets bungalows tels ceux de Crawford Park ou de Roxboro, comment cette population de laissés-pour-compte, qui évoquait celle des *Hoovervilles* des années de la Dépression américaine, se changerait en banlieusards typiques, discutant avec leurs gentils voisins les samedis d'été sur leur parterre, après avoir passé la tondeuse et lavé l'auto.

Je tentai de me raisonner. C'était là tout le défi. Un défi purement américain. On aime à s'imaginer les premiers occupants de l'Ouest comme de rudes personnages. Avant d'ériger des constructions durables et achevées, ces humbles pionniers n'avaient-ils pas commencé ainsi, dans des cabanes, dans des commerces aux façades factices comme des décors de théâtre, des masures de terre battue? Les vieux Yankees de l'Est, aux maisons plus prestigieuses, ne méprisaient-ils pas ces villes-champignons de l'Ouest? Aujourd'hui, les petits-enfants et les arrière-petits-enfants de ces pionniers ne dictaient-ils pas la mode en matière d'habitat sur l'ensemble de notre continent? Avec leur style californien, leurs maisons à niveaux multiples, leur utilisation originale des matériaux, ils s'imposaient jusque sous nos latitudes nordiques. Cette pensée me revigorait. Il fallait chasser toute idée négative. Moi, Éric Sanscartier, j'avais l'occasion de faire ma part pour ériger une ville nouvelle. Moi, l'humble étudiant, je pouvais apporter ma pierre à l'édification de cette cité future. J'étais en plein western, en pleine Californie du début du siècle.

Il me fallut une bonne dose d'optimisme supplémentaire pour repasser, même à huit heures du matin, dans ces quartiers enrobés de poussière jaunâtre et irritante. Je n'eus pas à éviter la rue au bourbier nauséabond : elle était barrée. Sans doute y effectuait-on des travaux. Je décidai donc d'emprunter une voie pompeusement nommée «boulevard», éventrée sur toute sa longueur par une tranchée de plusieurs pieds de profondeur et bordée de gigantesques tuyaux de ciment et de tas de graviers. Je m'étonnai du fait qu'aucun ouvrier ne s'affairait sur ce chantier où les herbes folles poussaient sur les tas de déblai et où les lourdes machines de terrassement semblaient incrustées de rouille comme les vieux chars d'assaut et canons abandonnés sur les champs de bataille. Je jouais avec l'idée que la RKO ou la Metro Goldwyn auraient pu faire de substantielles économies en venant filmer ici, dans des décors pour films se déroulant dans certains coins de l'Europe d'après-guerre. Après avoir balayé des pensées aussi absurdes, j'en déduisis qu'il devait s'agir d'un long conflit de travail, non rapporté par les journaux.

Arrivé dans la cour de Théo Robidas, j'aperçus Fern Gingras et Charlie Lagoose en train de discuter à l'extérieur de l'édifice qui, dorénavant, allait devenir le siège social du *Phénix de la Rive-Sud*. Dans le bureau du rez-de-chaussée, une secrétaire rangeait des papiers. Gingras fit les présentations.

— Marlène, je te présente notre journaliste, Éric Sanscartier. Éric, c'est Marlène Croteau, la plus belle *poupoune* de Longueuil-Est…

J'estimai rapidement qu'abstraction faite des qualités innées de cette femme, non seulement le compliment semblait très surfait, mais le ton sur lequel il était tourné appartenait à une forme d'humour collégien.

— Bon, c'est pas tout, reprit Gingras. J'ai déjà vendu un paquet d'annonces les deux dernières semaines. Va falloir nous mettre tout ça en pages. J'ai aussi un article qui dénonce l'incompétence de l'administration municipale passée et la sénilité de celle d'aujourd'hui. Faudra trouver des correspondants et aller voir les curés pour les nouvelles religieuses. Pour le reste, à toi de jouer. Si tout va bien, dans une semaine et demie, *The South Shore Phœnix de la Rive-Sud* sera distribué...

Décidément, Gingras tenait à son « Phœnix », mais je me faisais fort de le convaincre de donner à l'hebdomadaire un titre à prépondérance française. Combien y avait-il de gens d'ascendance anglaise, irlandaise, écossaise ou immigrante anglophone dans cette ville? Dix pour cent? Cinq pour cent, peut-être? Dans la province de Québec, et surtout à Montréal, à l'exception d'immigrants au bas de l'échelle, baragouinant l'anglais pour se décrocher un emploi que des Canadiens unilingues français ne pouvaient espérer occuper, les gens de langue anglaise exerçaient les fonctions de techniciens, de contremaîtres, de commerçants, de membres des professions libérales, de cadres intermédiaires et supérieurs. Combien de ces personnes avaient-elles choisi de s'établir à Longueuil-Est? À Saint-Lambert ou dans le Vieux-Longueuil d'accord, mais à Longue-Queue-Est…

Je supputais qu'on ne s'adresserait guère qu'à plus de cinq pour cent de citoyens s'exprimant dans un anglais correct ou approximatif. Par conséquent, il n'était pas question de rédiger un bandeau où l'anglais prédominait, d'autant plus que je comptais ne publier dans cette langue que les textes d'intérêt vraiment public… ou encore les textes politiques du juge Harwood-Martin; à condition toutefois que ses distingués confrères du Barreau veuillent bien les traduire.

En deux semaines, j'avais recruté mes «correspondants». On dénombrait: un potinier à la retraite, fin limier qui, pour la modique somme de dix dollars par semaine plus consommations, se chargeait d'aller traîner dans les lieux publics de la Rive-Sud et de faire délier les langues du petit peuple qui n'a jamais droit à la parole; une grenouille de bénitier de sexe masculin prête à me rapporter tout ce qui touchait aux activités religieuses; un sportif plutôt malingre qui s'engageait, à condition que son nom fût mentionné, à me décrire toutes les parties de hockey, de base-ball ou autres qui se jouaient sur le territoire de la ville et au-delà; un informateur à l'apparence ambiguë, qui n'écrivait pas mais se faisait fort de me rapporter des histoires croustillantes, bien faites, sinon pour faire monter le tirage, du moins pour retenir l'intérêt des lecteurs et pouvoir ainsi assurer à nos annonceurs que le journal était attendu d'une semaine sur l'autre.

Cet informateur, Jean-Guy Pedneault, un petit bonhomme dans la trentaine, râblé, aux jambes torses, se révéla des plus efficaces. Fils d'un épicier-boucher local, propriétaire d'un établissement dénommé «Aux trois petits cochons», il avait trempé dans une histoire de règlement de comptes, de meurtre au second degré, commis à l'arme blanche, dont il préférait ne pas parler. Après avoir purgé une peine appréciable, il avait été libéré sous condition. Je l'avais rencontré dans l'épicerie paternelle où il me trancha une généreuse portion de cheddar en meule avec un couteau aux dimensions impressionnantes.

Lorsqu'il me révéla que cette lame était la pièce à conviction qui avait permis de l'inculper, mais qu'il l'avait récupérée par l'entremise de son avocat, un haut-le-cœur me saisit et mon fromage prit soudainement un goût de sang. Je ne pouvais savoir s'il disait la vérité. Je m'imaginais mal les autorités judiciaires remettre gracieusement une arme à un ex-détenu en lui recommandant d'un air conciliant : «Allez, cher Monsieur, et ne péchez plus. Contentez-vous de trancher du fromage ou de la viande, pas des gens. Si vous l'utilisez encore à mauvais escient, vous risquez la corde…» Malgré ce que je considérais comme une sorte de conte de taverne, mes yeux ne pouvaient quitter l'affreux couteau que je me représentais désormais dégoulinant et avec lequel on eût pu transpercer sans peine un individu corpulent de part en part.

— Comme ça, tu es le journaliste du *South Shore Phœnix* ?

— Du *Phénix de la Rive-Sud*, si vous n'y voyez pas d'inconvénient. Ce n'est pas pour les quelques citoyens qui parlent anglais dans le coin que le journal doit avoir un nom pseudo-américain.

— Ben d'accord, mais parce que c'est «English», on pense toujours que ça fait plus distingué, comme Queneau qui disait : «J'maigris du bout des doigts, oui du bout des doigts, oui du bout des doigts. C'est ce qu'il y a de plus *distinglé*…»

Comment cet être apparemment inculte connaissait-il Queneau? J'en conclus que les bibliothèques des établissements pénitentiaires devaient être bien fournies.

— Et puis, on se tutoie, reprit-il. J'ai une dizaine d'années de plus que toi à cause du temps que j'ai fait *en dedans*, mais au fond du cœur, moi aussi j'ai vingt ans et c'est pour ça que tu m'intéresses.

Je regardai son visage massif, sa bouche à la lèvre supérieure mal dessinée, rappelant celle d'une pieuvre, ses grands yeux paradoxalement enfantins. Je pensais à ses longues années de prison, à l'inévitable sort des jeunes en milieu carcéral et aux habitudes que ceux qui ne sont pas au départ attirés par les hommes peuvent avoir à assumer dans ce milieu, mais il devina ma pensée.

— Sois tranquille, j'ai un *chum* qui s'appelle Dan. Je l'aime bien. Je te le présenterai...

— D'accord pour le tutoiement. Écoute : ta vie privée te regarde, je ne veux pas la connaître et surtout pas m'en mêler. Tu m'offres gentiment de me renseigner ? Bravo ! Tu aimes la jeunesse, encore bravo ! Mais je voudrais que les choses soient claires entre nous, précisai-je.

— Fâche-toi pas ! Me prends-tu pour une vieille folle, un vieux *gage* qui passe son temps à *crouser* les jeunes ?

— J'ai pas dit ça, mais si nous voulons demeurer amis, je pense qu'il faut que nous fassions preuve de franchise l'un envers l'autre. Quel est au juste ton intérêt à collaborer comme informateur au journal ? Tirer des ficelles dans l'ombre ?

— Écoute : tu vis à Montréal, tu débarques ici comme un frais chié sans grande expérience, tu ne sais même pas pour qui tu travailles. Tu n'es qu'un récoltant de nouvelles et tu es donc au bas de l'échelle de tes fonctions. Ton vrai pouvoir sera de savoir des affaires que seuls les initiés connaissent et d'en dire suffisamment pour faire changer les choses. Tu as probablement des idées toutes faites sur cette ville et tu refuses l'aide que peut t'apporter un de ses citoyens de vieille date ? *Look, Man,* je ne veux pas te faire de peine, mais sans un *senteux* tel que moi, tu n'es pas grand-chose à Longueuil-Est…

L'insolence de ce Pedneault me sidérait. Comment savait-il que je me retrouvais comme ainsi dire parachuté dans cet étrange milieu dont je ne connaissais rien et que mes atouts les plus sûrs étaient encore ma jeunesse et ma bonne volonté ? La logique implacable de cet être imposant, mais malin en diable, bouleversait toutes les rêvasseries pleines d'idéalisme que j'avais élaborées. Il ne me laissa pas le temps de réagir.

— Bon, je ne voudrais surtout pas te choquer, poursuivit-il, mais comme tu m'es sympathique, il ne faudrait pas que tu t'enfarges. Comprends-tu? Sais-tu ce que c'est ici? C'est un lac de pourriture liquide recouverte d'une croûte glacée sur laquelle nous marchons. Un faux pas et bang! Tu passes à travers, tu coules, tu cales et t'es fini! La politique commande tout et la pègre aussi. Et toi, tu t'amènes avec ton petit journal, comme un innocent aux mains pleines. As-tu pensé pourquoi on a engagé un jeune comme toi?

— Parce que les jeunes coûtent moins cher que les personnes plus expérimentées et qu'ils sont plus ouverts aux nouvelles idées…

— Ça, c'est ce qu'ils disent tous. On t'a engagé, mon vieux, parce que tu es prêt à tout pour prendre de l'expérience, que le salaire te fascine et que tu es un peu niaiseux, comme tous les débutants. Quand les *jobs* sont rares, les jeunes sont prêts à n'importe quoi pour se faire un nom. Ils ne respectent rien, sont prêts à faire les putes et à téter le cornet des *boss* pour parvenir à leurs fins. Ils disent des autres: *Let them die. I don't give a shit!* Les *boss*, eux, le savent très bien. Alors ils te mettent à leur main et t'utilisent. Ensuite, ils te laissent tomber… Au fait, veux-tu un autre bout de cheddar?

Il y avait de quoi ébranler l'égo le mieux structuré. Le petit «rédacteur en chef» gonflé à bloc se voyait ravalé par cet ex-détenu aux activités mal définies au rang de scribouillard prostitué à la merci d'une clique inquiétante. S'agissait-il d'une manifestation de jalousie, d'un épanchement de bile de la part d'une personne qui avait passé trop d'années à l'ombre, du regret des années de jeunesse qu'on lui avait volées? J'eus envie de l'envoyer promener, de l'évacuer de ma vie professionnelle, mais j'étais fasciné par ses allures de conspirateur, sa personnalité corrosive, son intelligence mal dégrossie, sa psychologie primaire mais redoutable. M'en faire un ennemi se serait révélé extrêmement dangereux et de mauvais augure. J'avais vraiment besoin de lui. Il le savait, mais je ne tenais pas à perdre la face.

— D'accord, tu veux jouer au guide dans cette jungle, comme tu dis. Moi, je veux bien, mais même si tu parles beaucoup, tu me permettras de te mettre à l'épreuve et de te juger sur les résultats. Dans notre métier, toute personne qui peut écrire son nom en lettres d'imprimerie, lire ce qui est marqué sur les boîtes de corn-flakes et qui a une grande gueule se dit spécialiste. Contrairement à ce qui concerne les autres professions, tout le monde a son mot à dire sur une mise en pages de journal ou sur un reportage. Quand il s'agit de faire des propositions sensées, c'est une autre affaire. Tu veux être informateur. Bien, alors informe, surprends le jeune niaiseux que je suis! Je t'écoute…

— Wow! Wow! Ne t'emporte pas. Veux-tu un scoop? Notre bon député provincial, le juge Harwood-Martin, vient de se payer une grosse maison avec de l'argent qui aurait dû servir à paver nos rues… Si tu veux, je t'emmène voir ça tout de suite à Saint-Bruno, avec Blé Noir…

— Blé Noir?

Ce genre d'information manquait de consistance. À moins de preuves formelles, on pouvait la reléguer au rang de rumeurs et de commérages sournois. Tout disposé à perdre une heure et ne voulant pas décourager mon informateur, j'acceptai. Je ne tardai pas à apprendre qui était Blé Noir: un petit homme dans la quarantaine, à l'allure sournoise, qui nous attendait dans une vieille limousine Mercury grise que je reconnus tout de suite. Il s'agissait du vendeur de bière clandestin qui avait si aimablement approvisionné mes pousseurs de voiture, une semaine auparavant.

— Blé Noir, c'est le meilleur *blind pig* roulant de la ville. Le meilleur *senteux* aussi. Un autre dont il n'est

44

pas possible de se passer. Viens-t'en, on prend ma voiture. Le pied dans l'*prélart, stie...*

Je fus surpris de voir que mon ex-détenu possédait une rutilante Pontiac Six de l'année. Pedneault me présenta au tenancier volant et sortit de la ville. Pied au plancher, il prit la route vers Saint-Bruno à plus de cent milles à l'heure. Le moteur, conçu pour des performances plus modestes, hurlait de souffrance. Je me demandai si mon récupérateur de couteaux pièces à conviction conduisait toujours ainsi ou s'il essayait simplement de démolir sa si jolie petite voiture pour m'impressionner. Était-elle à lui d'ailleurs ou l'avait-il «empruntée», comme le font tous les truands qui préparent un coup? Arrivés vers Saint-Bruno, il pointa du doigt une superbe propriété, sur un terrain d'au moins quarante mille pieds carrés dissimulée des regards indiscrets au moyen d'une épaisse haie de cèdres récemment plantée.

— Voilà pourquoi, entre autres, les travaux sont arrêtés dans nos belles rues, expliqua Pedneault. Il y a deux cent mille dollars de cachés ici, dans cette maison qui appartient à l'honorable juge Harwood-Martin...

— Cela ne prouve rien, rétorquai-je. Les juges reçoivent un traitement confortable et puis, il pourrait bien avoir hérité, ce monsieur...

— Sois pas *nono*! Les juges s'achètent des maisons à trente mille, peut-être quarante mille piastres. Pas à deux cent mille. Quant aux héritages de Son Honneur, permets-moi de te dire qu'il vient d'une famille assez modeste. Pas des *quêteux*, mais des cassés, et ce, malgré son nom *bloke*…

N'ayant pas grand-chose à dire, Blé Noir émit des grognements approbateurs. Après avoir fait remarquer à Pedneault que tout cela était bien gentil mais qu'il n'y avait guère de viande sur cet os, que toucher à un tel sujet sans plus de preuves constituait une pente savonneuse pour n'importe quel journaliste, il fit mine de se fâcher et nous ramena à notre point de départ en malmenant une fois de plus sa pauvre Pontiac.

Décidément, dans quel pétrin m'étais-je mis? Je venais de recruter malgré moi, en guise de collaborateurs soi-disant indispensables, un ancien taulard aux allures de conspirateur, qui s'appuyait sur des ouï-dire, et un tenancier de *speakeasy* roulant qui souriait tout le temps, un imbécile heureux dont je percevais mal le rôle. Je perdais vraiment mon temps. De retour aux Trois petits cochons, je saluai plutôt froidement ces deux personnages et me dirigeai vers ma voiture lorsque Pedneault m'apostropha.

— Éric… Tu ne me crois pas et ça me fait beaucoup de peine, mais je t'apporterai des preuves de tout ça avant longtemps…

— OK, OK. Supposons que tout cela soit vrai, lui répondis-je. Que veux-tu que je fasse ? Que je joue au preux chevalier et que je pourfende votre juge bien-aimé qui, incidemment, a déjà ses colonnes réservées dans le journal et semble au demeurant être un grand ami de Théo Robidas ?

— Pas ça… Pas ça… répondit-il en prenant son air le plus rusé, mais tu devrais savoir que l'information, c'est le pouvoir, et que plus tu en sais, plus tu peux faire ta route… Tu es bien parti. Il faut en profiter…

Je filai pour de bon, perplexe.

Chapitre 3

La date de parution du premier numéro du journal arrivait à grand pas et il fallait travailler jour et nuit pour le remplir. Surtout des nuits, dans l'ancienne imprimerie du Canada, rue Plessis à Montréal, où les collaborateurs d'un certain M. Péladeau mettaient en pages leur gazette à potins. Nous avions suffisamment de publicité pour combler 64 pages, une quantité non négligeable pour un hebdo. Depuis plusieurs semaines, Gingras avait fait du bon travail et, un jour, grâce à mon coup de pouce aux ventes d'espace, sans nul doute serions-nous appelés à rouler sur l'or. Nils Sandersen, le confrère qui m'avait recommandé à Robidas, connaissait bien la mise en pages et m'en inculqua les rudiments en venant me donner un coup de main. Spécialiste de ce que l'on appellerait plus tard le journalisme d'enquête, il était amusé par la cuisine interne d'un journal de quartier.

Pour ce coup d'essai, je ne faisais rien de moins que de m'en prendre à la une du magazine torontois *Manning's* qui, dans son dernier numéro, consacrait un long article à la misère des banlieues champignons, et tout particulièrement celle de Longueuil-Est. «Un exemple parmi les miséreuses agglomérations du Québec», y lisait-on.

Sous le titre *Longueuil-East : The Suburb That Went Sour and Where Hell is Breaking Loose* («La banlieue qui a mal tourné et où le diable s'en donne à cœur joie»), la municipalité était décrite comme un ramassis de cabanes immondes, dignes de celles que l'on pouvait trouver dans les *favelas* brésiliennes, construites en matériaux de démolition et en «Donnacona», un genre d'aggloméré cartonné composé de déchets d'usines de papier et de ripe de bois, recouvertes de papier goudronné, le tout renforcé par des panneaux publicitaires volés. Ces taudis, érigés sur des terrains de la taille d'un timbre-poste et achetés à crédit pour quelques dollars par mois à des promoteurs sans scrupules, ne comprenaient pas l'eau courante et n'étaient pas toujours électrifiés. Dans certains cas, un camion-citerne crasseux passait pour distribuer de l'eau plus ou moins potable à raison de cinq cents le gallon. Malheureusement, il y avait du vrai dans cette énumération.

Quant à la population, le prestigieux magazine *Manning's* la décrivait comme besogneuse, peu instruite, appartenant à une sorte de sous-prolétariat indécrottable et demeuré, typique de celui que l'on retrouvait aux abords de toutes les grandes villes de «La Belle Province». Cette dernière n'était d'ailleurs belle que par certains aspects de sa géographie, administrée par des escrocs incompétents, brouillons, des catholiques qui, contrairement aux vertueux protestants, trouvaient des accommodements avec le Ciel grâce à leur sale manie de raconter leurs petites histoires de fesses aux curés. Ces étranges habitants étaient vaccinés contre le péché et sous la coupe de papistes retors, capables, en fin de compte, de pactiser avec les éléments les plus troubles. Suivait une série de photos des plus affreux taudis de Longueuil-Est.

Ce morceau de bravoure ne mentionnait pas certaines villes-champignons anglaises particulièrement abominables, comme Lakeview, près de Toronto, ou Roost Town, près de Winnipeg, mais décrivait de manière flatteuse les banlieues bien administrées de la région torontoise. Don Mills, par exemple. Ce n'était pas la première fois que *Manning's*, un magazine bien-pensant et résolument antiquébécois, ridiculisait nos misères, mais là, c'en était trop. Jouant mon rôle, je répondis dans mon journal en faisant photographier de jolies maisons de Longueuil-Est – car il en existait – et en me procurant par un service de presse des clichés de cabanes ignobles prises à Lakeview et à Roost Town. Bref, je me permettais de renvoyer la balle dans leur camp.

Dûment distribués de porte à porte par les soins de Charlie Lagoose, ce numéro nous attira une foule de commentaires flatteurs de la part des autorités locales et régionales. On me répétait que j'avais bien fait et que je défendais les intérêts de la collectivité comme il se devait. Théo Robidas me fit venir dans son bureau et, les larmes aux yeux, me serra chaleureusement la main.

— Maintenant, Éric, tu es des nôtres. Continue de même et on s'occupera de toi. Nous sommes une grande famille qui sait se montrer reconnaissante. C'est pareil pour ceux qui ne sont pas corrects ; on sait toujours les retrouver. Tu sais, dans la vie, c'est l'amitié, la fidélité qui comptent. En t'engageant, je savais que j'avais fait le bon choix. Mais je parle, je parle, je radote, je dois vieillir… Et puis, je t'aime bien et quand Théo aime quelqu'un, c'est à la vie à la mort, compris ?

Je n'en revenais pas. Cet homme d'affaires à l'air plutôt dur faisait preuve d'une sensibilité sympathique mais, à mon avis, un peu grandiloquente. Il ne semblait pourtant pas avoir bu. Il me proposa un rye-Seven-Up.

J'acceptai le rye, mais nature. En somme, tout ça commençait bien. C'est alors que Théo me demanda ce que je fabriquais avec Jean-Guy Pedneault. Après lui avoir expliqué que ce dernier se faisait fort de me donner des pistes susceptibles de rehausser l'intérêt du journal, mon patron manifesta des signes d'inquiétude.

— *Watch out!* Éric. Pedneault, c'est un *brasseux* de *marde* qui ne travaille que pour lui. Qu'est-ce qu'il t'a dit au juste ?

Je lui relatais notre promenade en auto jusqu'à la maison du juge Harwood-Martin et le peu que je savais du présumé scandale que cachait l'achat de cette luxueuse propriété. Il me demanda ce que j'en pensais et je déclarai froidement que, faute de preuves, il fallait se montrer d'une extrême prudence. Après m'avoir confié que Pedneault en voulait au juge pour une précédente condamnation et que, par conséquent, il fallait que je me méfie doublement du personnage, il me félicita de ne pas accorder foi à de telles rumeurs. À peine avait-il arrêté de parler que l'orgue se mit à bourdonner.

— C'est ma nièce Suzal... Je l'ai recueillie à la mort accidentelle de ses parents. Chez nous, la famille c'est sacré. Elle joue bien, hein ?

Je rassurai ce bon oncle en lui expliquant que j'étais mélomane à mes heures et qu'à mon avis, Suzal (Bon sang! où était-il allé chercher ce nom?) avait beaucoup de talent. Je le félicitai d'avoir acheté un orgue d'église à cette jeune fille en ajoutant que j'avais eu l'honneur de la rencontrer lors de ma première visite. Contrairement au Cubain, il ne s'en offusqua point. Mieux, tel un marieur, il continua à me vanter les qualités de la demoiselle, puis m'entretint des difficultés qu'il avait eues à faire installer pour elle, selon les règles de l'art, le buffet de l'encombrant instrument, en particulier les tuyaux composant le jeu de récit. Les transformations que sa maison avait dû subir pour accommoder la musique sacrée avaient apparemment coûté une fortune. Il évoqua ensuite les prochains examens de Suzal. Ne sachant s'il essayait de me faire parler, je m'en tins à des lieux communs, en lui assurant qu'avoir à la maison une enfant aussi talentueuse était sans nul doute une bénédiction pour un père comme pour un tuteur. Il m'observait avec la plus grande attention. De toute évidence, le Cubain avait dû lui glisser un mot.

Malgré son aspect inquiétant, Théo Robidas en imposait par sa stature de leader local. Lorsqu'il venait au bureau, les personnes présentes le saluaient avec déférence. J'avais appris qu'il possédait plusieurs maisons de rapport, ainsi qu'un restaurant, des terrains et d'autres placements. Si son langage, truffé d'anglicismes et de *slang* américain, était parfois crispant, si sa personnalité semblait mal dégrossie, je me disais qu'un homme qui se donne la peine de faire entrer un orgue d'église dans sa maison et d'envoyer sa nièce à Vincent-d'Indy valait mieux qu'un simple parvenu, lequel se serait probablement contenté d'acheter à sa pupille un orgue électrique de piètre qualité. Au cours de mes reportages à Montréal, j'avais rencontré rue Saint-Jacques, dans l'édifice Thémis, en face de *La Presse*, des avocats de renom, grossiers comme des bêtes, qui avaient bien moins de classe que Théo Robidas.

En somme, mes débuts s'annonçaient prometteurs.

Dans le deuxième numéro, ce n'était plus l'insultante presse de la Ville Reine qui faisait l'objet de la une, mais celle de Montréal, sur laquelle je tombais à bras raccourcis. Il faut avouer qu'au cours des mois précédents, à l'image des feuilles à scandales, les organes d'information sérieux ne se gênaient pas pour critiquer Longueuil-Est. Un ancien employé polonais de la Ville, Marek Hirzowski, qui avait été licencié et avait francisé son nom en Marc Bourin, avait réussi à placer ici et là une série d'articles croustillants sur les aspects les plus répulsifs de l'administration municipale. Parmi ceux-ci, on relevait que des bandes armées et motorisées de «black jackets» ou blousons noirs semaient la terreur; que les jeunes jouaient aux cartes et aux dés dans les rues; qu'on y faisait de l'alcool de contrebande (un chimiste irlandais se faisait fort de rendre buvable de l'alcool dénaturé et de l'isopropanol). Bourin signalait qu'il existait maintes maisons de jeu, dont des barbottes, qui avaient eu leur heure de célébrité à Montréal pendant la guerre, que des avions de tourisme atterrissaient clandestinement dans les champs on ne sait dans quel objectif (contrebande ou espionnage?), que certains policiers locaux possédaient des casiers judiciaires et ne devaient leur place qu'à l'appui dont ils bénéficiaient de la part du «Syndicate», c'est-à-dire de la Cosa Nostra américaine. Pour corser le tout, on laissait entendre qu'à l'hôtel de ville, l'un des techniciens en urbanisme, un modeste immigrant d'origine alsacienne, était un ex-Nazi planqué.

Je passerai rapidement sur les titres, sensationnalistes ou non, selon la qualité de l'organe d'information: «Salon de massage près du monastère», «Longueuil-Est, Chicago des années cinquante», «Les satyres de la Côte-Blood», «Longueuil-Est, repaire de communistes», «Les *Big Wheels* du Syndicat du crime achètent des terrains à Longueuil-Est.», «Trafic d'héroïne dans la ville de Longueuil-Est», «Les maisons de Longueuil-Est, de vraies trappes à feu», «Haut taux de concubinage dans notre Petit Chicago de la Rive-Sud: l'Archevêché désespère»…

Bourin jouait sur du velours. Longueuil-Est était dans le coup. On racontait que tout article se rapportant à la ville faisait grimper les tirages d'au moins 15 pour cent; pourtant, Montréal et son administration n'avaient guère de quoi se pavaner. Le Jugement Caron, qui avait été rendu en 1950 à la suite de l'enquête menée par Pacifique Plante et Jean Drapeau, avait dévoilé que s'il existait un Chicago du pauvre, c'était bien Montréal sous l'administration de Camillien Houde, à la fin des années quarante. Peut-être en raison de la nature placide et conciliante de notre population, on y massacrait beaucoup moins qu'à Chicago durant les années fastes du gangstérisme, mais toutes les activités illicites y avaient cours, souvent avec la complicité des autorités administratives, judiciaires et policières les mieux placées.

J'annonçai sur cinq colonnes – rien de moins – que Montréal salissait notre honneur et, preuves à l'appui, que la Métropole ferait mieux de regarder dans sa cour. En réponse, je reçus une foule de coups de téléphone anonymes et orduriers de prétendus Montréalais outrés, des conseils de confrères plus âgés, très paternalistes, me suggérant de ne jamais critiquer mes semblables, de ne jamais jouer aux redresseurs de torts, car le monde du journalisme est très restreint et qu'on doit y faire preuve de souplesse, une offre de collaboration à une feuille à scandale et, une semaine plus tard, l'appel d'un rédacteur outré du *Manning's* de Toronto, celui-là même qui avait vomi avec tant de bonheur sur notre banlieue surie avant l'âge.

Il est vrai que je lui avais expédié deux exemplaires du *Phénix*, avec une traduction en anglais de mon article dans laquelle je faisais remarquer que le racisme persistant relevait de la pathologie. Il me menaçait de poursuites pour libelle diffamatoire. J'avais heureusement prévu le coup et consulté l'avocat de Théo Robidas, notre conseiller juridique. Celui-ci m'assura que nous pouvions riposter de bon droit aux insinuations malveillantes du magazine torontois, qui faisait partie d'un conglomérat canadien spécialisé dans l'imprimerie et l'édition.

Notre diatribe acerbe était peut-être défoulante pour nos lecteurs, mais ne représentait pour *Manning's*, véritable pieuvre de l'imprimé, qu'une piqûre d'insecte. J'en étais conscient et envoyais poliment promener mon interlocuteur, qui était sur le point de perdre son sang froid. Celui-ci me passa un certain Harry Newfield, l'un des cadres supérieurs de la maison qui, plein de morgue britannique, me signala dans sa langue que dans peu de temps son entreprise créerait un magazine en français qui permettrait à nos compatriotes de manifester leurs sentiments comme je l'avais fait, de «manger» de l'Anglais à satiété et de remplir en fin de compte les coffres de son entreprise. Son cynisme me laissa pantois.

— Ne vous faites pas d'illusions, jeune homme, me dit-il. Nous influencions l'opinion publique hier et nous l'influencerons demain. Je dirai plus: nous n'aurons aucune concurrence, car nos moyens sont puissants et nous pouvons acheter tous ceux qui sont prêts à collaborer en leur laissant la bride sur le cou et le sentiment d'être les porte-parole de leur collectivité. D'une manière ou d'une autre, nous vous récupérerons gentiment. Alors, pourquoi ranimer de vieilles querelles? Nous sommes tous des Canadiens, n'est-ce pas? Creusez un peu plus et vous verrez que la vérité à propos de votre ville est bien relative. Nous aussi aimons un bon scandale, mais il y a des formes à y mettre et vous avez encore beaucoup de chemin à parcourir pour trouver la nuance exacte. Nous critiquons les *Frogs*, vous tapez sur les méchants *anglos*.

C'est de bonne guerre, mais vous ne faites pas le poids. Un bon conseil : restez dans votre cour, oubliez-nous. Nous oublierons toute histoire de poursuite et, qui sait, la maturité aidant, peut-être un jour serez-vous heureux de collaborer à notre magazine – *en français, pour sûr...*

Newfield s'était donné la peine de prononcer ces derniers mots dans ma langue, avec une gentillesse et un paternalisme suffocants. La grenouille du *Kébec* ne faisait pas peur au diligent castor qui lui proposait de l'acheter, comme cela se faisait depuis la Conquête. Je brûlai d'envie de me montrer carrément grossier, mais Robidas venait d'entrer dans le bureau de Marlène, la secrétaire. Tout en remuant des papiers d'un air distrait, il avait décroché l'autre appareil et ne perdait pas une miette de la conversation. Je me contentai donc de conclure par des banalités sur l'inutilité de toute poursuite éventuelle, lui prouvant ainsi que nous étions bien renseignés sur les questions juridiques, la liberté de presse et le droit qu'ont les collectivités de se défendre contre la calomnie étrangère.

— T'as bien fait ça mon gars, me dit Robidas. Ces enfants de chiennes, faut pas les laisser nous baver, mais je veux pas non plus *partir* la Troisième Guerre mondiale. Une bonne idée, ta série d'articles sur les pauvres. Il faut en parler dans chaque numéro. La distribution de pains Weston par notre candidat à la mairie et les autorités ecclésiastiques. Bonne idée de donner l'adresse du pauvre monde. Comme tu as pu voir, ils reçoivent même de l'aide de Montréal. C'est bon, ça. Y a des gens qui ont le cœur à la bonne place...

Le patron était toujours aussi content.

Un beau matin, je reçus la visite de Jean-Edgar Dugré, qui se présenta comme notre concurrent. De dix ans mon aîné, il était administrateur et rédacteur en chef du *Héraut de la Rive-Sud,* un hebdomadaire solidement établi depuis longtemps. Il me déclara qu'il aimait et admirait les jeunes. Cultivé, vêtu de manière classique, il critiqua, non sans pertinence, ma prose parfois vive, mes conclusions parfois hâtives, mais m'assura de son indéfectible appui. Je ne sais trop pourquoi, mais ce personnage obséquieux me semblait trop poli pour être honnête. Que voulait-il, au juste?

— Comme ça, vous êtes l'employé de Théo Robidas? me demanda-t-il.

— En effet, mais il n'est pas seul...

— Mon cher Sanscartier, je ne peux que vous inviter à la plus extrême réserve. Je n'ai pas encore vu dans vos pages, sous votre plume, d'articles à saveur politique. Mais vous n'êtes pas sans savoir que votre journal se propose de défendre l'Union nationale de Maurice Duplessis et que le nôtre est plutôt libéral ?

— On m'a dit ça, mais j'ai promis de ne pas m'occuper de politique, répondis-je. Des gens compétents s'en chargent. J'ai de l'expérience à prendre dans un métier et cela exige toute mon attention… Peut-être serai-je un jour plus politisé sur le plan provincial. D'une manière ou d'une autre, je pense que dans le contexte actuel c'est la politique mondiale qui devrait nous préoccuper…

— Bien sûr, bien sûr, répliqua Dugré. Votre vision internationale vous honore, mais vous savez, si l'on ne prend pas parti, on risque tout simplement de se faire récupérer et de devoir militer en dépit de soi… Autre chose : au premier regard, on s'aperçoit que la majorité de toute la belle publicité que vous étalez dans vos pages provient d'entreprises de travaux publics ayant décroché de lucratifs contrats de la part de la Ville… Avez-vous remarqué ? Sans fausse modestie, je crois pouvoir dire que nous avons d'assez bons vendeurs d'espace, mais ils n'ont pas la puissance de persuasion des vôtres…

Qu'insinuait-il? Dugré dévoilait partiellement son jeu: il devait être jaloux. Il était vrai que soixante-quinze pour cent de nos commanditaires étaient des entrepreneurs généraux, des revendeurs de matériaux de construction, des cimenteries et des aplatisseurs de bitume. Je rétorquai que nous étions dans une ville en plein essor qui encourageait son journal, tandis que lui se contentait de venir chercher de la publicité à Longueuil-Est pour ensuite rédiger de belles histoires sur le Rotary de Saint-Lambert et les dévotions des paroissiens bien lavés de Longueuil.

— Vous semblez endosser une approche assez populiste, mon cher Sanscartier, reprit-il. Vous parlez des pauvres, certes, mais l'aide qu'il faut leur apporter doit passer par les autorités ecclésiastiques, les organismes constitués, par l'intermédiaire de stations de radio, pas de manière anarchique. *Mane, thecel, pharès*... Compté, pesé, divisé. Vous vous souvenez, j'espère? Je sais que vous êtes sincère, mais l'enfer est pavé de ce que vous savez. Voilà pourquoi vous devriez mettre un bémol à vos propos. Vous n'ignorez pas, bien sûr, qu'une partie importante de la population de Longueuil-Est vit dans le péché, «accotée», en concubinage, que ces gens, souvent désœuvrés, non contents de vivre dans le stupre, ne font pas de religion, que cette lie est un dangereux foyer de fermentation sociale. Avec tout ce qui se passe en ce moment aux États-Unis, selon les révélations du sénateur Joseph McCarthy; avec ce qui se passe en Corée et la montée du bolchévisme… l'avenir est inquiétant. Dans le fond, j'aime bien la fougue de votre jeunesse, votre jeunesse tout court, et je ne voudrais pas que vous vous mettiez les pieds dans quelque sale affaire…

La dernière fois qu'un homme mûr m'avait dit qu'il aimait les jeunes, c'était au collège, où un frère enseignant dont j'admirais la bibliothèque m'avait fait grimper sur un escabeau pour attraper un livre haut perché et, sous prétexte de me protéger d'une chute, m'avait tenu les mollets avec tant d'insistance que j'avais dû le rappeler sèchement à l'ordre. Dugré avait le don de culpabiliser. Un véritable harceleur professionnel. D'un seul coup, je me sentais ébranlé par ses convictions bien-pensantes. Il n'avait commis qu'une erreur: mentionner le sénateur McCarthy, le chasseur de sorcières, déjà vivement contesté dans son pays. Pour un soi-disant libéral, mon interlocuteur agissait comme ces unionistes des plus conservateurs, qui imaginaient des agents de la police politique soviétique à chaque coin de rue. La conversation se prolongeait, je voyais mal où il voulait précisément en venir, sinon me déstabiliser. Je lui en fis la remarque.

— Vous savez pour qui vous travaillez, j'espère ? reprit-il. Pour votre gouverne, je dois dire que votre patron est loin d'être en odeur de sainteté auprès de l'Archevêché. Malgré l'appui qu'il s'est ménagé auprès du juge Harwood-Martin, on me dit qu'il côtoie des personnages à la moralité discutable…

Je le coupai net.

— Écoutez-moi, M. Dugré. Que feriez-vous à ma place ? Je suis ici depuis moins d'un mois, j'ai beaucoup de travail et mon patron s'est montré parfaitement correct avec moi. J'ai certainement un tas d'autres enquêtes à faire avant d'entreprendre une étude de moralité sur mon employeur. Si un jour je m'apercevais qu'en toute conscience il me serait impossible de travailler pour lui, je changerais de cap. Pour l'instant, je n'ai rien à dire…

— La conscience, mon cher Sanscartier, voilà justement le mot. En tant que formateur d'opinion local, je ne saurais laisser un jeune homme comme vous, presque imberbe, élevé sans nul doute chrétiennement, s'impliquer dans quelque sulfureux scandale. Je le répète, j'ai lu vos textes, je vous aime bien et veux vous assurer de mon appui ; ce n'est pas négligeable, vous savez…

Révulsé par sa complaisance, je dus, par convention, le remercier vaguement. Il s'en alla du pas mal assuré d'un religieux défroqué donnant des coups de genou pour écarter les plis de sa soutane disparue.

Chapitre 4

Il était curieux de constater combien de personnes me voulaient du bien. Du cadre de la société *Manning's* en passant par des confrères montréalais plus expérimentés, tous s'inquiétaient de ma maturation professionnelle. J'avais de toute évidence bouleversé la fourmilière et cela n'avait pas plu à tout le monde. Longueuil-Est, une ville dont on aimait dire qu'elle n'était composée que de miséreux à la mine pâle, en avait assez de se faire piétiner. Ce journal, que plusieurs méprisaient à cause de ses annonces naïves d'entrepreneurs en travaux publics se frappant le torse comme des gorilles et annonçant que les deniers municipaux étaient bien investis grâce à leur incomparable productivité, me donnait un iota de pouvoir. Si ma plume maladroite, qui se voulait revendicatrice, me faisait mépriser, le plus souvent, elle me faisait aussi courtiser par des individus aux motivations ambiguës.

Je m'amusais à l'occasion. Ayant trouvé un slogan creux pour un entrepreneur, celui-ci me glissa quatre beaux billets de 50 dollars dans une enveloppe. Pour moi une fortune ! J'avais simplement imaginé que si les Romains revenaient, ils choisiraient sans aucun doute son entreprise pour construire leurs voies immortelles. Le tout était rehaussé par le graphisme d'un centurion rappelant l'emblème d'une institution financière américaine. Pour un autre, j'avais rêvé que si, d'aventure, mère Nature avait oublié de créer le roc de Gibraltar, Burtmore Contracting se serait empressé de le construire en un temps record. Non seulement je n'eus droit à aucune prime, mais l'entrepreneur en question arriva en vociférant dans mon bureau et en exhibant une lettre «sans préjudice» d'une compagnie d'assurance bien connue qui l'enjoignait de ne plus mentionner ce lieu géographique sur lequel elle avait jeté, semble-t-il, son grappin publicitaire pour l'éternité. Je conseillai à ce monsieur de signaler cette incongruité toponymique à notre souveraine fraîchement couronnée, qui régnait sur ce célèbre rocher. Après avoir exposé mon argumentation de manière irréfutable, je perdis une vente, car l'irascible entrepreneur alla la fois suivante confier sa publicité au *Héraut*. «Patiner» dans ce milieu n'était guère facile.

C'est alors que Valmy Lapierre fit irruption dans ma vie. Émacié, le cheveu déjà rare, le regard fiévreux, la lunette épaisse, il n'avait pas encore la vingtaine. Son pantalon gris et sa veste de tweed râpée, mais propre, étaient rehaussés d'une cravate à la couleur indéfinissable. Il ne pouvait que s'agir d'un étudiant fauché ou d'un employé nécessiteux.

Il m'expliqua qu'il avait lu tous les numéros du *Phénix* et m'approuva pour la façon dont je protestais contre les campagnes de dénigrement visant notre ville. Toutefois, il ne tarda pas à se montrer agressif en me signalant que je vivais sur l'île de Montréal – une information qu'il avait apprise dans la présentation du premier numéro – et que, de toute évidence, je ne connaissais pas la vraie histoire de Longueuil-Est. Un peu froissé, mais croyant fermement à la critique constructive, je lui assurai que s'il acceptait de se faire l'historiographe de sa ville, je publierais avec plaisir ses écrits, car il est bon que les gens cultivent un sentiment d'appartenance. Il me répondit avec aigreur que j'étais «récupérateur», mais qu'il y penserait.

— En somme, vous vous érigez en défenseur vertueux de la ville et de ses habitants? persifla-t-il.

— Que de grands mots! J'essaie simplement d'être honnête avec moi-même, avec mes lecteurs, mes employeurs…

— Avec vos employeurs, peut-être, mais pour ce qui est du reste… C'est gentil de votre part de raconter que nous sommes une ville de pionniers, de braves gens rejetés par la grande ville cruelle, des gens qui, partis de rien, s'acheminent vers des lendemains glorieux tout en demeurant fidèles au Grand rêve américain. J'ai été élevé ici depuis ma plus tendre enfance et vous savez ce que je pense de cette ville maudite, privée de transports en commun adéquats? Les jours de pluie, on s'enfonce jusqu'à la ceinture dans la vase puante. On n'y voit quasiment que des cabanes dont les gens des pays sous-développés ne voudraient pas, des taudis jetés çà et là sans plan d'urbanisme, des travaux publics contrôlés par la mafia des vendeurs de ciment, pourvoyeurs de la caisse électorale de l'Union nationale. Ils volent avec leurs amis l'argent des taxes pour faire valser les prix et n'hésitent pas à arrêter les travaux pendant des mois jusqu'à ce que la planche à billets se remette à fonctionner pour les engraisser. Ces salauds-là rotent et ils en veulent encore... Belle ville ouais... Une ville où les enfants sont livrés à eux-mêmes pour jouer à touche-pipi derrière les tas d'ordures pendant que des mères de famille, des jeunes filles sont obligées de se vendre à Montréal pour assurer les versements sur la cabane d'un père accidenté du travail ou chômeur! Pour quelques billets de cinq dollars! Vous savez ce que c'est que Longueuil-Est? De la merde, de la surmerde, de la polymerde...

En s'échauffant, mon interlocuteur dégageait une odeur de transpiration aigre, un peu de mousse s'était formé aux commissures de ses lèvres et ses yeux lançaient des éclairs. Il était à bout de souffle. Ses dernières condamnations me surprenaient, car il avait prononcé le populaire mot de cinq lettres à la française et non «marde», à la québécoise. Malgré un certain parti-pris de vulgarité, le langage de Lapierre trahissait celui d'un jeune homme ayant suivi la filière du cours classique ou du séminaire mais qui, pour une raison inconnue, avait pris la tangente à un certain moment de son existence. Sa tirade terminée, je demeurai sans voix, éberlué par cette révolte et cette violence mal contenues.

— Vous n'y allez pas de main morte, Monsieur, hasardai-je. Vous me dites que vous êtes citoyen de cette ville mais, en même temps, vous invectivez ses habitants de manière assez peu tendre à ce que je constate... Vraiment, je ne comprends pas... Les détestez-vous à ce point ?

— Justement non ! reprit-il d'une voix altérée par l'émotion. Je les aime ! Les plus pauvres évidemment, c'est-à-dire la majorité d'entre eux. Je les aime au point que je donnerais sans hésitation ma vie pour qu'ils s'en sortent. Mais ils sont comme mes parents : des moutons de Panurge bêlants et pacifistes qui espèrent des jours meilleurs dans le plus bel esprit des romans américains d'Horatio Alger, où tout le monde, à force de travail acharné, de sacrifices, de vertus traditionnelles, a la possibilité d'effectuer le légendaire parcours où l'on commence sa vie en guenilles et où on la termine millionnaire. *From rags to riches*, qu'ils disent… Ce ne sont malheureusement qu'illusions, que *bullshit*. Pour un malheureux qui s'en tire plus ou moins, mille autres restent coincés dans leur misère, leurs dettes, leurs *jobs* innommables, pour le plus grand profit des trusts, des banques, des compagnies de finance, des porcs capitalistes, des petits *boss* ignobles qui les achètent à vil prix et les revendent trois fois plus cher, à crédit…

Une fois de plus, je ne sus que répondre. Ce phénomène, un peu plus jeune que moi, souffrait visiblement pour les autres et cette empathie faisait peine à voir.

— Vous me semblez un peu catégorique, repris-je. Et qui, Grand Dieu! croit réellement pouvoir devenir riche du jour au lendemain? Je ne pense pas que des gens comme vos parents ou leurs voisins se fassent autant d'illusions que cela. Ils essaient simplement d'améliorer leur sort afin de pouvoir éventuellement jouir du fruit de leur travail. Quoi de plus légitime? Je doute qu'ils aient lu cet Horatio Alger que je ne connais d'ailleurs pas. Ils se battent pour manger trois fois par jour et payer leur loyer – comme tout le monde…

— Bien sûr qu'ils se font des illusions. L'esprit de ce maudit Alger est entretenu par tous ceux qui ont intérêt à exploiter le pauvre monde. Mes parents me répètent que lorsqu'on est né pour un p'tit pain, on se contente de son p'tit pain. C'est un dicton stupide que les curés et les *boss* leur ont inculqués pour qu'ils courbent l'échine, qu'ils ne fassent rien pour sortir de leur misère, qu'ils se disent «sa-tis-fâs» en regardant la fortune passer pour les salauds qui l'accumulent et pour qui la propriété n'est que le fruit du vol. Si vous ne me croyez pas, je vous emmènerai voir toute la misère que vous dénoncez si bien pour faire lire votre journal. Je dessillerai vos yeux en vous faisant rencontrer le vrai monde, celui qui pompe son eau dans une nappe phréatique polluée par les fosses septiques, celui qui doit fermer ses fenêtres pour ne pas manger cette maudite poussière jaune qui plane sur la ville.

Cette rencontre m'épuisait. Ce jeune homme aigri était sans nul doute un idéaliste révolté. un adepte attardé du théoricien anarchiste du XIXe siècle, Pierre-Joseph Proudhon. C'était probablement un de ces garçons, instruits peut-être par charité, passés par la porte de service des maisons d'enseignement. Il n'avait certainement pas de papa dans les affaires ou dans une profession libérale pour lui faire suivre la voie royale des grands collèges classiques et des universités. Pas comme mon ami Florian Perreault, si sûr de lui, déjà si bien placé, qui promenait sa fiancée dans la belle voiture de maman et pouvait sortir tous les dimanches dans le Nord pour faire du voilier, du ski, ou pousser un flirt dans un beau chalet en rondins vernis.

Je ne sais trop pourquoi, mais il me renvoyait une vieille image négative de moi-même contre laquelle j'avais toujours lutté, de ces vieux restes d'existentialisme mal digéré qui avait eu, au pays du Québec comme ailleurs, son heure de gloire dans la génération d'après-guerre à laquelle nous appartenions.

Je me rappelai soudainement que, pour assurer notre salut, l'Église et l'État provincial encadraient toute pensée, toute philosophie susceptibles de perturber la belle ordonnance d'un système d'éducation que notre Premier ministre prétendait être le meilleur au monde. On nous enseignait que toutes ces idées sacrilèges, propagées par certains intellectuels iconoclastes, dont certains se dissimulaient parmi les écrivains, les artistes et le personnel de Radio-Canada, n'étaient bonnes que pour les Français, des gens qui avaient perdu la tête en 1793 en coupant celle de leur roi. Ces révolutionnaires, dont étaient issus les «maudits Français» actuels, avaient subi depuis lors maintes malédictions divines mais, en fin de compte, n'avaient rien compris et se débattaient toujours dans quelque chaos politico-économique, alors que chez nous régnait l'Ordre, la Paix et la Sérénité que la Possession tranquille de la Vérité nous conféraient. Malgré toutes les questions que nous pouvions nous poser, non sans cynisme, notre esprit critique s'émoussait. Nous préférions souvent appliquer la pensée magique et foncer vers l'avenir.

L'intervention de Valmy Lapierre m'avait bouleversé, culpabilisé. Je pouvais envoyer promener ce chat famélique qui me faisait perdre mon temps puisque, de toute évidence, il était impossible de s'attendre à une collaboration sérieuse de sa part. Je sentais également que même si je voulais jouer son jeu, il se serait défilé, de crainte de se faire, selon ses propres termes, «récupérer».

Notre conversation me rappelait les discussions souvent stériles que j'avais échangées, il y avait encore peu de temps, à la Swiss Hut de la rue Sherbrooke ou à L'Échouerie, avenue des Pins, avec quelques-uns de mes contemporains, certains se targuant d'appartenir à la relève artistique ou littéraire. Les plus intéressants qu'il m'avait été donné de rencontrer, fils à papa ou fils de gens simples – les filles hantaient peu ces endroits-là –, étaient assez souvent des adeptes de l'héroïne ou des *goof-balls*, en cure de désintoxication ou livrés à eux-mêmes dans la détresse des rues. L'un de ces interlocuteurs brillants, Sylvio Duchesnay, descendant d'une famille de gens de lettres de la région de Portneuf, nanti d'un avenir prometteur à la radio d'État et secondé par une femme très belle et intelligente, venait de disparaître à 23 ans. Il n'avait même pas eu le plaisir posthume de réussir son suicide, car les autorités exerçaient des pressions très fortes pour que l'on annonce sa mort comme étant «accidentelle». Le décès incompréhensible d'un jeune homme si beau, apparemment comblé de tous les dons, au potentiel si prometteur, avait de quoi semer des doutes dans la jeunesse des années cinquante, pour qui l'avenir semblait plutôt terne.

Lapierre ramenait tout cela en surface. N'était-il qu'un causeur creux, l'un de ces penseurs torturés, maladifs et condamnés d'avance qui refont constamment le monde dans les tavernes et les appartements minables en buvant du cidre fabriqué illégalement et finissent par crever seuls, victimes de malnutrition et de drogues? Je ne le croyais pas. J'avais envie de le rayer de ma mémoire mais, d'un autre côté, ses interrogations, peut-être excessives, me reposaient de l'intérêt que me manifestaient mes autres visiteurs, dans les yeux desquels seuls brillait le signe du dollar ou la lueur du pouvoir, même le plus insignifiant. Lapierre possédait un certain charisme qui laissait présager qu'il ne se contenterait pas de s'en tenir à de simples propos. Voilà pourquoi je pris congé de ce personnage en lui déclarant que j'aimerais l'aider dans la mesure de mes modestes moyens et, pourquoi pas, me lier d'amitié avec lui. Je pense qu'il apprécia ce geste.

Comme si la journée n'avait pas été suffisamment éprouvante, je reçus un coup de téléphone de Jean-Guy Pedneault, qui me promettait de l'information qu'il qualifiait de proprement «explosive». Je le rencontrai en fin de journée aux Trois petits cochons, devant la meule de cheddar et le couteau (pseudo-pièce à conviction), qui m'inspirait toujours un sentiment de malaise. Il me montra une série de photos agrandies de papiers notariés et de chèques. Devant mon air interrogateur, il m'expliqua qu'il s'agissait de pièces photographiées en cachette dans un bureau de notaire à l'aide d'un Minox, l'un de ces minuscules appareils photo allemands dont les espions se servaient au cours de la dernière Guerre mondiale.

Ces documents prouvaient hors de tout doute qu'un groupe d'entrepreneurs, dont les noms apparaissaient régulièrement dans les publicités laudatives du *Phénix*, avaient vendu pour une somme symbolique un terrain sis à Saint-Bruno et y avaient érigé une résidence de maître enregistrée au nom de Son Honneur le juge Harwood-Martin.

— Hein? Qu'est-ce que t'en dis? me demanda Pedneault en jubilant. Si tu veux te faire construire une belle maison à bon prix, tu sauras où t'adresser maintenant. Mais tu n'es ni juge ni député, bien sûr. Et moi non plus…

Il semblait moins pressé de faire éclater un scandale que de se venger de ces escrocs qui tiraient constamment la couverture vers eux. De se venger, peut-être par mon intermédiaire, des années passées en prison où, tout jeune, il avait dû se livrer à tous ceux qui, dans l'enfer carcéral, se faisaient forts de le protéger ou de le gâter un peu. Mais comment diable avait-il eu accès au coffre du notaire? Peut-être comptait-il de bonnes relations parmi les tripoteurs de serrures. Après tout, les coffres des notaires de banlieue n'étaient pas ceux de la Banque Royale.

— S'ils sont authentiques, ces documents sont très embarrassants pour les intéressés. Que veux-tu que j'en fasse ? Les publier dans le *Phénix* ? lui demandai-je en plaisantant.

— On t'en demande pas autant, mais tu as des copains à Montréal, qui seraient ravis de faire un beau papier sur l'un de ces autres scandales de notre ville-*dompe*. Il suffirait que tu me donnes des noms et je m'occupe de la fuite des documents. Tu es *safe*. Tu continues ton travail et, lorsque le scandale éclate, cela te donnera un bon sujet qui te permettra de défendre Robidas et Martin. Cela mettra des plumes à ton chapeau : tu pourras pisser de la copie et tout le monde parlera de ton torche-cul, de Schefferville à Frelighsburgh et de McWatters à Saint-Louis-du-Ha ! Ha !, mon vieux. C'est la gloire, pour un jeune homme énergique et entreprenant ! Et même si tu perds ta *job*, tu n'auras pas de mal à en trouver une autre avec tes références. D'ailleurs, si tu ne sautes pas sur l'occasion, je m'en occuperai moi-même. Je suis un grand garçon après tout...

— En ce qui me concerne, si tu permets, j'aimerais en toucher un mot à Théo, lui demander des explications. Après tout, il ne s'agit que de photos et, comme tu le sais, il est facile de les truquer. Tant que je n'aurai pas vu les originaux, je ne saurais me prononcer. Qui dit que ce n'est pas un coup monté?

— Oublie les originaux. Ils sont au coffre. J'ai assez eu de mal à avoir des photos. T'es pas un peu fou de vouloir montrer ça à Théo?

— Pas si fou. Je n'ai peut-être pas beaucoup d'expérience, mais certainement plus que toi en matière de journalisme. Apprends qu'on ne peut publier un article sérieux sur la foi de documents incertains, surtout des documents qui incriminent mon propre patron et un élu du peuple! Tu penses qu'il suffit de gribouiller n'importe quoi pour incriminer n'importe qui? Oui, ces documents me dérangent, mais ils ne prouvent rien, hors de tout doute raisonnable.

— Ah! Ah! Monsieur l'avocat frustré protège sa petite *job*…

— Et pourquoi pas? Si je m'attaque un jour à Théo, ce sera pour des raisons irréfutables, parce qu'il m'aura profondément déçu. Une chose est certaine: je ne serai plus son employé. Lui jouer de tels tours serait comme faire mes besoins devant sa porte et sonner pour lui demander du papier! Donne-moi ces photos, que je les lui montre…

— *Be my guest*, répondit-il en me les tendant avec une grimace. J'en ai d'autres. Et les négatifs, bien sûr. Comme ça, on l'aime son gros *boboss*... Une vraie histoire d'amour à faire brailler les grandes gamines...

Il fit mine de m'envoyer des baisers, en singeant certains homosexuels dragueurs comme on pouvait en rencontrer dans des tavernes bien connues.

Oui, la journée avait été dure. De retour au journal, je passai un coup de téléphone à Théo en lui demandant de m'accorder un rendez-vous en privé dans les meilleurs délais pour une question que je qualifiai comme étant de la plus haute importance. Ma hâte le surprit mais, devant mon insistance, et comme il était déjà tard, il m'invita à souper chez Lee Waï, l'unique restaurant chinois de la ville.

Robidas était d'humeur blagueuse. Après m'avoir fait remarquer qu'aux termes d'un contrat léonin il était propriétaire de l'établissement, il fit valoir son rôle de pionnier, de financier qui avait permis à Charlie (c'est ainsi qu'il surnommait tous les Asiatiques) de faire connaître sa cuisine américanisée à la population de Longueuil-Est.

— Ces affaires jaunes-là, c'est du monde comme nous autres, mais en plus courageux, philosopha-t-il. Ça travaille jour et nuit. D'une manière ou d'une autre, Charlie n'a pas le choix. Il a investi ses quatre sous ici. S'il s'arrange bien, je touche un pourcentage sur ses affaires ; s'il s'arrange mal, je récupère tout ça et ramasse le paquet. Au fait, parle-moi de cette histoire si pressée…

Me gardant de commenter ses considérations ethniques très personnelles, je passai ma commande et lui fit savoir avec mille précautions qu'un individu m'avait transmis des photos de documents susceptibles d'incriminer certaines autorités. Il les examina longtemps, sans un battement de paupière, sans un froncement de sourcils. Le visage d'un grand truand à qui le policier novice demande de lui avouer où il a caché le butin.

— Et qui t'a donné ça ? me demanda-t-il finalement.

— Jean-Guy Pedneault. Il voudrait être notre informateur…

— Le fils de l'épicier… Ce petit *sonofabitch* qui a servi de serin à la moitié de la prison de Saint-Vincent-de-Paul ! Et toi, qu'est-ce que t'en penses ?

— Je pense que ce ne sont que des photos, pas très nettes, prises avec un appareil d'espion. Elles ne prouvent pas grand-chose. Si nous avions des originaux, ce serait différent…

— Tu n'en auras pas. Pedneault a comme *chum*, très intime merci, un certain Dany Pagé, une espèce de coquerelle qui possède un petit atelier d'imprimerie dans une maison mobile et qui est photographe à ses heures. Dany peut reproduire tout genre de papier à en-tête, taper n'importe quoi, imiter n'importe quelle signature et photographier le tout pour faire *accroire* des choses. Un vrai véreux… Ils m'en veulent pour différentes raisons et essaient de me causer du tort. Mais pourquoi tu me montres ça ?

Je lui expliquai qu'étant donné les lourdes implications que ce document supposait, j'avais préféré lui en parler par loyauté, surtout que Pedneault caressait l'idée d'envoyer ces photos à d'importants quotidiens montréalais.

— Laisse-le faire, Rick, me dit-il. Personne ne publiera des cochonneries pareilles parce que ce sont des faux. Penses-tu vraiment qu'un ex-délinquant juvénile comme Pedneault ou ses petits amis puissent forcer le coffre d'un notaire et photographier des documents, comme dans les films d'espionnage? Ça prend des professionnels pour ça, pas des *punks*. Fais-moi confiance, j'en connais des «pros», des spécialistes. Oublie tout ça, et un conseil: méfie-toi de Pedneault, car on ne sait jamais à quoi il joue ni de quel côté il se trouve. Il est comme ces drôles de gars avec qui on doit prendre des douches lorsqu'on est dans l'armée ou *en dedans*; des types toujours prêts à te *shafter*. Si tu as le malheur d'échapper ton savon et de te baisser pour le ramasser, tant pis pour toi. Alors y a qu'une chose à faire: les *dégosser* avant qu'ils te fourrent...

Le souper terminé, il me ramena à son bureau, où il passa plusieurs coups de téléphone. Gingras, Butch Dulac et Charlie Lagoose ne tardèrent pas à arriver, ainsi qu'un quatrième larron qui se présenta comme étant Farouk Dulac, le frère de Butch. Il ressemblait autant à un Arabe que son frère à un Cubain. Le surnom de Farouk – qui évoquait le gras souverain égyptien récemment détrôné –, tout comme ses lunettes noires, renvoyaient une image assez fidèle de celle que ce personnage cherchait par tous les moyens à projeter. Je me demandai une fois de plus comment Madame Dulac mère, une Québécoise que l'on aurait qualifiée sans difficulté de «pure laine», avait pu concevoir des rejetons aussi exotiques. Butch m'avait montré une photo de ses parents, dont une de son père, ancien militant de l'Union nationale ; ils paraissaient presque aussi typiques que les personnages des gravures traditionnelles du grand illustrateur québécois Edmond Massicotte. De toute façon, les deux frères avaient réussi à incarner leur personnage avec succès.

Robidas dévoila au groupe les intentions de Jean-Guy quant aux photos qu'il m'avait remises.

— Lui là, se contenta de dire Farouk. Et toi, le journaleux, qu'est-ce que tu comptes faire ?

Je lui répondis que ces documents n'étaient après tout que des copies qui ne convaincraient pas grand monde. La seule solution consistait à afficher un mépris de bonne guerre.

— Et Pedneault, qu'en fais-tu ? reprit Farouk.

— On laisse tomber…

— *Ho! No, we don't…* Pas nous…

— Que le diable le berce ! C'est un pauvre type qui a des problèmes… De toutes manières, c'est moi qui ai le plus à perdre. Un présumé correspondant, un précieux collaborateur, qu'il voulait être! En quoi les *gamiques* de ce petit escroc de Pedneault peuvent-elles vous faire du tort?

Robidas prit un air attristé.

— Ricky… T'es avec nous ou pas avec nous? C'est tout de même drôle que tu plaides en faveur d'un maudit serin comme Pedneault…

J'eus beau les assurer de ma fiabilité et tenter de les persuader que je ne plaidais pour personne, un doute flottait dans l'air. Je me retrouvais devant une sorte de tribunal pervers, l'un de ces *kangaroo courts* qu'organisent dans les prisons anglo-saxonnes les pensionnaires les plus vicieux pour régler le compte de leurs ennemis en les accusant de mouchardage ou de toute autre trahison imaginaire ou non, puis en rendant une parodie de justice et en réglant leurs comptes. Je ne pouvais me résoudre à penser que mes employeurs, malgré leurs manières frustes, puissent jouer un jeu aussi ridicule.

— On va punir ce chien sale, poursuivit Farouk, le punir via sa petite amie Dan. Chez nous, les *crosseurs*, on les double et on les triple *crosse*… Et encore, en changeant de main et en ne perdant pas un seul coup de poignet!

Mes interlocuteurs éclatèrent d'un rire gras et je décidai d'en déduire qu'il ne fallait pas prendre ces paroles au sérieux. Toutefois, la semaine suivante, lorsque j'appris par Blé Noir, devenu l'un de mes informateurs, que Dan avait été battu et violé dans la cour d'un cimentier à l'aide d'un manche de râteau, je commençai à me poser des questions. Le fragile imprimeur avait dû passer un mauvais quart d'heure, car son état avait nécessité une hospitalisation que l'on prévoyait assez longue. Pedneault me demanda par téléphone de le rejoindre à Longueuil. Il était d'une humeur effroyable. Il tenta de me cuisiner, mais je me gardais bien de lui faire part des menaces de Farouk, car je me sentais un peu responsable de cette tragédie. Je lui demandais de m'oublier, d'oublier le journal et tout ce que nous avions pu nous dire. Je crois qu'il comprit qu'il était en train de jouer avec de la dynamite à mèche un peu trop courte.

— Je te l'avais dit de ne pas en parler à Théo. Tu as été niaiseux. «En bouche close n'entre mouche», disait Jacques Cœur, ce grand homme d'affaires du XVe siècle...

— Et moi, je t'avais prévenu que j'allais lui en parler, lui répondis-je, surpris de cette référence à un personnage quasiment inconnu, même des amateurs d'histoire.

Décidément, l'ex-détenu défiait toujours les lois de la logique mais, cette fois-ci, ses intrigues ne lui avaient pas été très profitables. Je me sentais inutilement coupable d'indiscrétion pour avoir voulu faire preuve de sincérité envers mon patron. J'avais perçu des lueurs mortelles dans le regard de Théo et trouvais que sa cravate blanche n'avait jamais autant tranché avec sa chemise noire.

Chapitre 5

La semaine suivante, un événement tragique nous permit de faire une manchette. Les deux enfants d'un assisté social, qui louait l'une des petites maisons dont Théo était propriétaire, venaient de périr dans l'incendie de leur demeure. Le sinistre était survenu un samedi soir où je travaillais tard au bureau, pendant que le locataire, un certain Pritchard, et sa compagne assistaient à un match de hockey au Forum. Théo était arrivé en trombe en me disant « Prends ton Kodak » (c'est ainsi qu'il appelait tout appareil photographique ou toute caméra). Il me fit monter dans sa Cadillac. Je remarquai qu'il conduisait de la main droite car, de la gauche, il serrait une grosse Molson givrée dont il avalait de bruyantes gorgées de temps à autre. La cravate défaite, mal rasé, la bière à la main, Théo ne ressemblait plus à l'homme d'affaires un peu tape-à-l'œil que je connaissais. Il était franchement inquiétant.

En arrivant sur les lieux, je ne pus prendre qu'une photo du brasier, qui était assez impressionnant. Les pompiers étaient arrivés trop tard et laissaient brûler la maisonnette. D'ailleurs, ils serraient d'un air ridicule l'embout de cuivre d'un tuyau flasque : la bouche d'incendie semblait gelée. Selon les voisins, la petite gardienne, une fillette de treize ans, avait réussi à faire sortir les deux enfants les plus âgés de la maison. Mais lorsqu'elle avait voulu retourner chercher les cadets, âgés de deux ans et de six mois, la fumée et les flammes étaient déjà maîtresses de la demeure. Des commères commentaient l'événement en rejetant le blâme sur la pauvre fille qui, après avoir constaté son impuissance à faire quoi que ce soit d'autre, avait abandonné les deux jeunes rescapés dans la neige et disparu en hurlant.

« *Sad… Sad,* commentait Léo en engloutissant bruyamment sa bière. Sais-tu, Ricky, le nombre de mois de loyer que ce Pritchard me devait ? Huit mois, ce *tabarnak* ! C'est bien de valeur pour les enfants, mais maintenant, il va falloir qu'il se grouille le cul pour nourrir sa bonne femme et les deux *stags* qui lui restent, parce que moi, je ne lui loue plus rien. Cette maison, ça faisait partie de mon capital, de mon fonds de pension. Un gars à qui j'ai donné toutes les chances… Voilà qu'il me fait brûler ma cabane et qu'il s'arrange pour engager une gardienne incompétente. C'est sûr, l'assurance me remboursera. Quant à ce cave-là, je suis certain que ses hardes et ses quatre meubles achetés à crédit chez Woodhouse n'étaient même pas assurés. Y en a qui cherchent vraiment du trouble. Ah! les *hosties* de pauvres… J'veux plus rien savoir, plus rien savoir du monde de même… Rick, si un jour t'es propriétaire, loue pas à des assistés sociaux ni a des accotés, car c'est s'acheter un paquet de troubles… »

Sur ces entrefaites, Pritchard et sa compagne arrivèrent. Fous de douleur, ils affichaient des mines de survivants des camps de la mort. J'étais bouleversé. Théo me fit signe de prendre des photos. Je m'en gardai en prétextant avoir des difficultés à trouver une ampoule de flash appropriée dans mon sac. Je ne pouvais me résoudre à saisir sur le vif la douleur de ces pauvres gens. Un autre photographe prit le relais. « Pour *Métropole Confidentiel*… Monsieur Pritchard! » Avec sa mine de déterré, Pritchard se retourna, tel un zombie. Le gros Mecablitz électronique du reporter crépita jusqu'à ce que la femme pousse un hurlement de bête et que le vautour photographique s'éloigne, satisfait.

— Je ne voudrais pas t'apprendre ta *job*, me dit Théo entre ses dents, mais tu viens de te faire *scooper*. C'est vraiment pas la peine d'être le journal de la place pour se faire avoir par une feuille de chou jaune de Montréal…

J'eus beau lui expliquer que l'hebdo en question se spécialisait dans le sensationnalisme, le potin ignoble, les rumeurs de bas étage, les photos de nus *cheap*, il ne m'écouta pas. J'ajoutai que notre journal ne devait pas exploiter la douleur humaine ni le mauvais goût. Qu'il suffisait de décrire le sinistre et de dénoncer l'incompétence municipale, qui venait de se manifester de manière éloquente par l'inaction des malheureux pompiers de Longueuil-Est, par la bouche d'incendie que personne n'était parvenu à dégeler et qui, pire, n'était peut-être même pas raccordée au réseau! Il ne voulut rien savoir.

— Justement Rick... T'as rien compris, poursuivit Théo après avoir bruyamment éructé. Mais ce n'est pas avec tes bons mots que tu convaincras c'te monde de caves qui savent même pas lire. C'est avec des photos, des photos déchirantes, pour les bonnes âmes. Les gens se diront: «Ah! Les *hosties* de l'hôtel de ville... C'est à cause d'eux autres que deux enfants sont morts... Il est temps que ça change!» Et toi, tu viens de rater l'occasion... Tu me déçois... À quoi ça te servait d'apporter ton Kodak, hein? Demain, tu appelleras le gars de *Métropole Confidentiel* et tu lui demanderas ses photos. C'est moi qui paye et je les veux dans le *Phœnix*. OK? OK... Viens, il est tard, je te ramène.

Je ne l'avais jamais vu dans cet état.

Dans la Cadillac, où flottaient des relents de bière et de sapin désodorisant, il se calma en m'expliquant que cet incendie lui coûtait les yeux de la tête, que l'assurance ne lui rembourserait jamais tous ses frais. Il se mit alors à m'énumérer ce qu'il avait pu perdre à cause de ce locataire pourri qu'était Pritchard : loyers en retard, occasion de vendre sa bicoque à profit, interminables discussions et pertes de temps avec l'intéressé.

— Un gars qui aurait pu travailler… Mais il se prenait pour un membre de nos « élites traditionnelles », comme il disait. Tout ça parce qu'il a failli être échevin. Faire du 9 à 5 dans un bureau ou une *shop*, c'était pas pour lui. Il avait des ambitions en politique municipale ce maudit cassé-là. En attendant, il faisait des enfants comme un lapin, ne payait pas son loyer, s'en *crissait* la patène au cul, et moi, je bouchais les trous. Faut me comprendre, Ricky. J'ai bon cœur, dans le fond. Sais-tu qui lui avait donné la paire de billets de hockey pour la partie de ce soir ? C'est encore moi, bien sûr. Cire les bottes à un cochon et y te botte le cul avec… *Tabarnak* !

Je me hasardai à faire remarquer à Théo que même si Pritchard était un piètre débiteur, il n'en avait pas moins perdu deux enfants dans le sinistre.

— Ça me fait de la grosse *pépeine*. D'accord, tonna Robidas, mais ça prendra à Pritchard moins de temps à refaire deux p'tits *crisses* qu'à payer ses dettes, Rick. Tu comprends pourquoi je tiens tellement à cette photo. Pour une fois, Pritchard me servira à quelque chose : à discréditer l'administration municipale passée que, d'ailleurs, il soutenait. Cela me permettra aussi de le neutraliser. Tu comprends ? Il me devait de l'argent. Alors, il m'en voulait à mort et, pour me narguer, il militait pour nos adversaires. Il faudrait que tu commences à prendre parti, Rick. Que ça te plaise ou non, faudra te brancher et ne plus rester le cul entre deux chaises... *Câlisse* !

Devant un tel cynisme, j'eus soudainement un terrible pressentiment. En définitive, grâce à cet incendie providentiel, Robidas gagnait sur tous les tableaux. Il se débarrassait d'un mauvais payeur, récupérait son terrain, se faisait rembourser sa maison par les assurances et enregistrait, en plus, de substantiels gains sur le plan politique.

Une idée horrible m'effleura. Mon employeur aurait-il donné l'ordre de mettre le feu à la demeure de Pritchard ? Malgré le puissant chauffage de la voiture, j'eus soudainement très froid. Je regardai le profil de cet homme aux traits lourds qui ressemblait à tous ces bons bourgeois qui déposent ostensiblement des billets de cinq dollars dans le panier du curé tous les dimanches, là où les citoyens ruinés glissent d'un air penaud leurs 25 cents. Non, ce n'était pas possible. Théo n'était probablement qu'un homme d'affaires aguerri, un peu retors, peut-être, mais pas un criminel. Un gros papa qui se ruinait pour faire entrer un orgue d'église dans sa maison afin que sa nièce puisse jouer du Vidor ne pouvait être un incendiaire, même par procuration.

— Écoute, Théo, je suis fatigué de me faire répéter de me « connecter ». La politique, surtout municipale, je n'en fais pas. Tu m'as répété de ne pas m'occuper de cela et j'obéis. Les nouvelles sociales, les faits divers de la ville et la publicité me suffisent. Alors me brancher, c'est fait, merci. Je pense que j'ai toujours été loyal envers vous tous, pas vrai ? J'ai été engagé pour faire un journal aussi impartial que possible. Alors, qu'attendez-vous de moi, au juste ?

Nous étions arrivés au « siège social », comme Théo aimait appeler l'immeuble qui abritait le journal. Il arrêta le moteur et s'excusa de la rudesse avec laquelle il m'avait traité en m'affirmant que j'étais jeune, très jeune, et que j'avais encore beaucoup de choses à apprendre. Il ajouta qu'il n'avait qu'un très jeune fils, qu'il aurait aimé en avoir aussi un plus vieux, tel que moi, et qu'à défaut, ses meilleurs employés en tenaient lieu. Il était indubitable que j'appartenais à ces heureux élus.

— Faut se tenir ensemble, poursuivit-il, songeur. Comme une famille. Une grande famille. Nous sommes en train de construire quelque chose ici. Oui ou non?

Au ton hésitant de sa voix, je crus un instant qu'il allait éclater en sanglots.

— Tu sais, Ricky, je suis parti de loin. Dans ma jeunesse, j'étais pauvre, très pauvre. Je me suis retrouvé orphelin très tôt, dans la rue. Là, je n'ai pas eu le choix. J'ai vécu de petites *jobs*: livreur d'épicerie, planteur de quilles, organisateur de petites *gamiques* mais, à quinze ans, j'avais la chance d'être bâti comme un homme. Alors, je me suis retrouvé *bouncer* dans un club qui appartenait à Frank Pasqualoni. Il s'agissait d'éviter les bagarres, de sortir les types saouls, de surveiller les trouble-fête. Je suis vite devenu son homme de confiance. Je ne sais pas comment cela est arrivé. Je crois que c'est en réglant discrètement le cas de deux mauvais clients. Un comique de la radio que Pasqualoni aimait bien, parce qu'il glissait toujours un bon mot à son sujet dans ses sketches, était en train de manger tranquillement son spaghetti avec une *chick* dans le restaurant du *boss*, rue Sainte-Catherine, un *spot* qu'il fréquentait régulièrement. Alors deux *gorlots* ont commencé à achaler lourdement notre comique et à ennuyer sa *poupoune*. Comme ça commençait à chauffer, le gérant a appelé et on m'a envoyé avec un autre *bouncer* pour régler le problème. On a repéré les deux tannants et on leur a fourré le nez dans leur assiette de spaghetti. Le mien s'est alors mis à résister. Il avait cassé le cul d'une bouteille de bière et s'apprêtait à me saigner. Je l'ai rattrapé par le cou, lui ai remis le nez dans la sauce, mais j'ai dû serrer trop fort. Je lui ai cassé des vertèbres cervicales et il est mort. *Sad*... Je te le jure, Ricky, je ne voulais pas tuer ce *tarla*. Il n'avait pas à m'attaquer avec sa bouteille. Il y a des jeux que les petits caves qui, dans la journée vendent des souliers chez Dupuis Frères, et qui, le samedi soir, veulent se transformer en gros *toughs*, ne devraient pas pratiquer. Faut séparer les vrais hommes des p'tits garçons, pas vrai?

Il poursuivit en me donnant force détails sur cette rixe, sur les démêlés judiciaires qui avaient suivi, heureusement aplanis grâce à l'intervention du fantaisiste agressé, qui avait plaidé la légitime défense en sa faveur. Grâce aussi aux avocats de Pasqualini, Théo s'en était tiré avec une sentence relativement légère : neuf mois de prison pour « rixe avec violence ».

On n'avait simplement pas précisé que Théo et son acolyte ne se trouvaient pas par hasard sur les lieux. On décrivait les deux hommes de main comme de simples spectateurs scandalisés par les propos obscènes du malappris ayant insulté une personnalité. Or, l'avocat du matamore survivant fit remarquer à la cour qu'il avait découvert que Théo et son comparse travaillaient pour le propriétaire du restaurant ; cependant, rien ne prouvait qu'on les avait expressément appelés pour mettre de l'ordre de façon un peu trop musclée, et rien n'interdisait à des employés de consommer dans l'établissement de leur patron, comme de banals passants. Après tout, que fait tout honnête citoyen qui se fait attaquer à coups de bouteille cassée ? Il se laisse faire, se sauve ou se défend, n'est-ce pas ? Et si l'agresseur présente une menace mortelle, il n'avait pas à commencer...

Je regardai le cou de taureau de Théo Robidas, ses mains épaisses comme des battoirs, des mains qui avaient serré... Couic ! Dans le fond, Théo avait été jusqu'au bout de son fantasme. Un autre que lui aurait peut-être discuté avec les imbéciles, aurait tenté de les raisonner. Lui les avait humiliés puis, au premier geste de riposte meurtrière, avait tué.

— Dis-moi que ce n'est pas le rêve de tout jeune homme au sang bien rouge? me demanda Théo. Dis-moi que ce n'est pas vrai et je dirai que t'es un maudit menteur…

Le coup du «jeune homme au sang bien rouge» – *The red-blooded young man* –: une expression traduite littéralement de l'américain qui signifiait que tout mâle dans la force de l'âge, normalement constitué, plein d'hormones, de foutre et de rage de vivre, devait se battre avec l'énergie du désespoir pour gagner. Un vieux cliché à accrocher à la panoplie que tous les gens du nord de notre continent portent dans leurs gènes, qu'ils le veuillent ou non, pour le meilleur et pour le pire. Panoplie de cow-boy ou de pionnier pour nos voisins du sud, de prospecteur ou de coureur des bois pour les Québécois, de *pistolero* pour les Mexicains.

Un rêve en somme, oui, mais un rêve non recouvert par le fragile placage de bois précieux de nos anciennes cultures. Un rêve non contrarié par le frein à inertie de la morale ou de la religion. Le jeune homme doit avoir le geste précis, imparable, professionnel. L'action et la réaction. Et ce jeune homme était devenu cet homme d'affaires plus ou moins dégrossi, qui avait décidé de prendre en main les destinées d'un bidonville pour le faire accéder au statut de cité. «C'est ça la vie. Il faut toujours prendre l'offensive, car la défensive ne vaut pas de la *marde*!» me précisa-t-il. «Au début, je priais mes adversaires de se retirer du chemin, maintenant, je passe le bulldozer!» Ses méthodes n'étaient peut-être pas orthodoxes, mais il avait dans ses yeux jaunes délavés, comme ceux d'un chat famélique, la lueur des rudes gens d'action que rien n'arrête. Et, anesthé-sié par son air de bon père de famille, je ne pouvais m'empêcher de l'admirer pour cela. Il me confessa avoir également fait de la prison pour fraude, toujours avec violence, et pour avoir agressé un policier. Simples détails.

Le lendemain, Théo me prit à part pour évoquer la perte de publicité que le *Phénix* subissait. L'attendrissement de la veille s'était transformé en sourde rage. Nous en étions rendus au quatrième numéro et les annonces se faisaient attendre, malgré les bons offices de Fern Gingras, qui décrochait pourtant des quarts de page de l'Union nationale et des partis municipaux.

— Si on continue de même, on n'aura plus de quoi payer les employés. Il faut vendre, vendre régulièrement des annonces. Vendre, c'est comme se raser, si on ne le fait pas tous les jours, on n'est qu'un *hostie* de *bum*, un pas bon…, me déclara Théo.

De toute évidence, j'en prenais pour mon grade. Absorbé par le contenu de ma feuille de chou, mon désir de bien faire, j'avais mis de côté le deuxième volet de mon travail, celui de colporteur d'espaces publicitaires. Cet aspect du métier ne m'enchantait guère, et le total général des recettes s'en ressentait. J'avais mollement essayé de vendre des annonces pour arrondir mes fins de mois, mais à de rares exceptions, ma clientèle de petits commerçants paraissait réfractaire à toute sollicitation et mes résultats étaient marginaux. Je fis part de mes inquiétudes à Théo, qui me demanda quelles étaient mes méthodes.

Je lui expliquai les grandes règles que l'on inculque à tout bon représentant, ou du moins ce que j'en savais par mes lectures et par des amis expérimentés dans la commercialisation et la publicité : comment accrocher le client, créer le besoin, passer outre ses objections, demander la commande et conclure.

— *Bull shit!* me répondit-il. Ici, t'es pas en train de vendre ta salade à des commerçants *blokes* bien polis, bien cérémonieux, ou à des Canadiens français rongeux de balustres, à des gens de la Société Saint-Jean-Baptiste ou de la Palestre nationale… Ici, t'es à Longue-Queue-Est. Il faut qu'ils s'identifient à quelqu'un qui ne vienne pas d'Outremont ou de NDG. À quelqu'un comme moi, par exemple… Leur as-tu dit que c'était *mon* journal?

Après avoir remarqué qu'à l'instar des contempteurs de la ville, il avait affublé sa chère municipalité d'un ridicule *Queue*, prononcé «Queuille», et ri sous cape de son utilisation du sigle concernant Notre-Dame-de-Grâce, – NDG – qu'il prononçait à l'anglaise (ou à l'arabe) – «enn-did-ji» –, je lui avouai que je n'avais pas jugé pertinent de me vanter de mes relations, mon employeur inclus.

— Essaye. Insiste. Tu verras. Je suis connu dans le coin… Après tout, ça ne coûte rien. Ça fera du bien à la Compagnie et tu t'en mettras plein les poches. Ne m'as-tu pas dit que tu voulais changer de char? Si tu fais bien ça, tu pourras t'en payer un beau et remplir ton compte de banque.

Je promis d'essayer dans les plus brefs délais, car le *Phénix* maigrissait à vue d'œil d'un numéro à l'autre. La semaine suivante, après avoir, en vain, fait mon numéro de vendeur d'annonces chez deux commerçants pour leur fournir quelques malheureuses lignes, arrivé à l'épicerie Lambert, je me souvins de mes bonnes résolutions. Le propriétaire, que l'on surnommait Gépé pour Georges-Paul, mais surtout pour Gros Porc, me reçut comme il recevait tous les solliciteurs : avec la plus parfaite grossièreté. Il gagnait pourtant beaucoup d'argent en pratiquant un crédit usuraire et en utilisant un homme de main pour intimider ses débiteurs. Par ailleurs, il avait coutume de recourir parfois au droit de cuissage lorsque les clientes endettées en valaient la peine. Pour la bonne mesure, il possédait des intérêts dans d'autres commerces moins honorables. Après qu'il m'eut débité un chapelet de jurons et d'imprécations contre tous les vendeurs du monde, je m'enhardis.

— Comme ça, vous ne voulez pas encourager le journal de Théo Robidas ? C'est le placement publicitaire qui rapporte le mieux sur la Rive-Sud, savez-vous... Théo savait ce qu'il faisait en lançant cet hebdo...

Je m'attendais à une autre série d'injures, mais le gros Lambert semblait frappé de mutisme, et sa face porcine prit soudain une teinte terreuse.

— Dis-moi pas que tu travailles pour Théo, balbutia-t-il. Ah ! Ben, *toryeu*, fallait me le dire. C'est différent… C'est vrai, Théo sait comment faire faire de l'argent au monde… C'est quoi encore, tes prix?

Jouant le tout pour le tout, je lui proposai une demi-page qu'il accepta avec une servilité inattendue. Décidément, la simple mention du nom de mon patron opérait des miracles. Au cours de l'après-midi, j'étais devenu un vendeur vedette. Après avoir semé à profusion le nom de Théo chez les commerçants de Longueuil-Est, mon carnet de commandes se remplit. De retour au bureau, je comptais mes commissions, qui s'élevaient à 200 dollars. En ajoutant cette somme à ma rétribution de base, je venais de me faire un traitement d'administrateur de niveau appréciable. Pas mal pour un débutant.

La semaine suivante se poursuivit sur la même lancée et mon compte en banque se remplit au même rythme que les pages du journal. J'avais moins à rédiger, car les soldes de voitures d'occasion et les réclames de boucherie ou de matériaux de construction se substituaient de plus en plus aux articles. Gaétane Duffond, une talentueuse pigiste d'origine française, plutôt masculine, qui sévissait à Radio-Canada, vendait pour arrondir ses fins de mois des bandes dessinées américaines « syndiquées » qu'elle faisait traduire par une amie. Elle me proposa ce moyen économique de combler les vides de ma publication et j'acceptai avec enthousiasme. La facilité me gagnait. Gaétane alla jusqu'à me proposer gratuitement des poèmes non dénués d'intérêt, mais quand je m'aperçus qu'ils célébraient avec finesse les charmes des prêtresses de Lesbos, je décidai qu'il ne s'agissait pas là d'une lecture pour ma clientèle. De toute façon, je considérais déjà celle-ci comme étant plus avertie et alphabétisée qu'elle ne l'était en réalité.

Devant mes succès de vendeur d'annonces, je commençais à me demander quel pouvoir Théo pouvait bien exercer sur ma clientèle de petits commerçants. Il est probable qu'ils avaient contracté quelque dette envers lui et le seul fait de mentionner son nom semblait leur rappeler que mon patron avait la mémoire longue. J'observais leurs tics nerveux, la soudaine pâleur de leur visage, la lueur d'inquiétude qui passait dans leurs yeux. Leur réaction n'en était pas une de gratitude, mais de crainte, la crainte d'un pouvoir occulte dont j'étais l'involontaire représentant.

Je ne me posais toutefois pas trop de questions, car ce petit jeu me rapportait de confortables commissions que je ne tardais pas à investir dans une grosse Mercury décapotable rouge et verte *Two tones*, équipée du plus gros moteur disponible dans ce modèle, un moteur modifié chez Gene Venne Speed Shop, le spécialiste de la Rive-Sud. J'avais dans les mains un monstre capable de battre à l'accélération la quasi-totalité des voitures de l'époque.

Mais en accédant au statut de jeune homme de la génération montante, j'en vins petit à petit à me mépriser. Mon ambition dans la vie était-elle de battre au feu rouge de petits prétentieux dans des voitures aussi voyantes que la mienne, arborant des costumes jaune citron ou cacao de chez Morrie Gold et des coupes de cheveux dites à la Hollywood, tenant grâce à une abondance de Brylcreem ? Je ne pouvais le dire. Après tout, n'étais-je pas secrètement jaloux de tous ces types apparemment sans problèmes, qui vivaient de combines ou se targuaient de faire de l'argent comme de l'eau alors que, souvent, il n'étaient que commis dans d'obscurs commerces ? Peut-être, car je ne tardai pas à m'habiller selon la dernière mode, c'est-à-dire en m'affublant de complets au goût discutable, mais qui ne manquaient pas d'attirer l'attention.

J'en avais assez de me poser d'éternelles questions existentielles et voulais profiter de la vie, aller danser le mambo dans les clubs de Montréal en buvant force Zombies, faire des conquêtes et les emmener à New York, à Cuba, au Mexique, ou vers quelque autre destination chimérique. Une simple injection de dollars, trois semaines de bonne fortune et tout m'était permis. Je ne comprenais pas que, dans le processus, je repoussais mes études et mes beaux projets aux calendes grecques.

Chapitre 6

Il faut dire que chez Théo l'argent circulait en grand volume. Il possédait plusieurs petits commerces, mais je soupçonnais que sa principale source de revenus provenait de ses amis les entrepreneurs et cimentiers du même acabit, qui lui demandaient d'intercéder en leur faveur à Québec. Plus le reste, bien entendu, mais quel reste ? J'avais discrètement demandé au Cubain dans quel secteur Théo travaillait. Il s'était contenté de me répondre que la manière de devenir prospère et de vivre longtemps était de s'occuper de ses affaires – une réponse digne d'un dur de cinéma. Puis, après m'avoir fait remarquer que je commençais à bien me débrouiller, il m'invita à jouer dans une salle de jeu comme il n'en existait presque plus.

— Le jeune, je t'emmène dans un endroit où il y a de l'action, l'une des dernières maisons de jeu de la belle époque, une barbotte, me confia-t-il un soir. Tu ne sais pas ce que c'est ? Vegas, Monte-Carlo, c'est des jeux pour vieux ciboires endormis. La barbotte, ça va vite, ça ne niaise pas. Ça a déjà marché très fort avant que ces Dewey du pauvre que sont Pax Plante et, plus tard, son *chum*, c'te face de *criss* de Jean Drapeau, fassent leur petit numéro. La barbotte c'est un vrai jeu populaire, pas pour les snobs. Je te donnerai des conseils. Avec ce que tu vas gagner, tu pourras te payer des vacances à Cuba…

Cuba, une autre chimère. Le pays où le rhum coulait à flots pour ceux qui n'avaient ne serait-ce que quelques dollars. Le bordel de l'Amérique du Nord, disait-on aussi. Je n'avais jamais été joueur, mais j'avais de l'argent à flamber. Et puisque je faisais pratiquement partie de la famille de Théo, je décidai de risquer un beau coup avec, comme mentor, mon Cubain de Saint-Henri. Je décidai en somme de m'encanailler.

C'est au premier étage d'une maison du boulevard Taschereau qu'était située la salle de barbotte qui était, dit-on, connue de tous les chauffeurs de taxis mais pas de la police. On y trouvait quatre tables. Deux d'entre elles étaient réservées aux petits joueurs, qui misaient un dollar et plus, et les deux autres aux moyens et gros flambeurs, c'est-à-dire ceux qui risquaient des mises de 25 dollars et plus. Je remarquai que, curieusement, ceux qui jouaient de la manière la plus modeste étaient ceux qui étaient le plus décemment habillés. Il s'agissait de toute évidence d'honnêtes ouvriers et de petits employés venus s'acheter un peu de rêve à leurs risques et périls.

Ceux qui misaient gros étaient soit vêtus de complets rayés à trois cents dollars coupés chez Tony The Taylor, soit d'habits surprenants, vert pomme ou fuchsia, provenant de magasins de confection de classes diverses, allant du Morrie Gold Classic au Gasco Saint-Laurent-Sainte-Catherine. Les mieux habillés de ces messieurs étaient de toute évidence d'origine anglo-saxonne ou méditerranéenne. Ils auraient pu faire partie de ce qu'il est convenu d'appeler « le beau monde ».

L'un de ces joueurs, un homme de race à en juger par son maintien solennel et sa cravate club venant directement de chez William Scully, le tailleur des militaires, avait dû passer par Kingston, voire Sandhurst, et blanchir au service du corps des officiers de Sa Gracieuse Majesté. Un autre, passablement basané, en complet bleu rayé de blanc, n'aurait pas déparé dans la comédie musicale *Guys and Dolls*, tant il avait l'allure rétrograde d'un liquidateur de problèmes de l'époque de la Prohibition. Je n'aurais pas été surpris de le voir sortir avec une boîte à violon contenant une mitraillette.

Un seul joueur choquait à cette table. Il s'agissait d'un énergumène de six pieds deux, de trois cents livres, huileux, gras, aux moustaches en balayette de cabinets, vêtu d'un maillot à résilles crasseux qui dégageait des biceps ornés de femmes nues. Le bas de son corps était drapé dans un pantalon hypercollant destiné à faire ressortir ses parties génitales qui, si l'on en jugeait par leur forme particulière, avaient été grossies grâce à des serviettes en papier ou des chiffons roulés en boule. Il y avait là de quoi impressionner toute femme assez tordue pour être attirée par le personnage. Je baptisai mentalement celui-ci «le Gros Dégueulasse». Il dut deviner l'animosité naturelle que je ressentais à son égard, car il s'approcha d'un air menaçant de Dulac:

— Heille! Butch… On joue pas avec les *flots*, *icitte*… dit-il en me pointant du doigt.

— Et nous, on joue pas avec des maudits cassés, mais avec des vrais hommes, répondit Butch.

Joignant le geste à la parole, il frappa d'un revers de la main sur le ventre flasque de l'importun qui, à ma grande surprise, recula d'un pas.

— Tasse-toé, mon gros pas bon, ajouta Dulac dont le gabarit était pourtant moins impressionnant que celui de son interlocuteur.

Malgré la présence du gentleman anglais et de celui que j'appelais le Méditerranéen, je ne pouvais affirmer

si j'étais flatté de me frotter à des joueurs aussi redou-
tables. Je me serais personnellement senti davantage à
l'aise avec les gagne-petit de la table voisine, pour qui
des mises de un et de deux dollars étaient la règle.

Je compris vite ce qu'ils appelaient la *game*. Il s'agissait d'un jeu de dés où les joueurs d'un côté de la table
de jeu parient contre ceux de l'autre côté pour des
mises égales – de 25 dollars au moins dans notre cas.
Dans une encoche au bout de la table, le meneur de
jeu ou *box-man* s'assurait qu'il était engagé, deman-
dait à l'un des joueurs de lancer les dés qui, selon la
manière dont ils tombaient, déterminaient le côté
gagnant. Il ne restait plus qu'à empocher en cas de
gain et à abandonner en cas de perte.

Grâce aux conseils du Cubain, j'avais, à la fin de la
soirée, non seulement empoché quelque 1 200 dollars
avec ma mise initiale de 25 dollars, mais j'avais vérita-
blement attrapé le virus du jeu. D'autres gros joueurs
étaient venus nous rejoindre, des hommes au visage
ravagé qui se tenaient, fébriles, sur trois et quatre rangs
pour hurler leurs paris et récolter les gains. L'odeur
lourde ou enivrante des cigares (selon qu'ils coûtaient
cinq sous ou cinq dollars), les cris de victoire ou de
déception me fascinaient. L'officier canadien-anglais
m'avait salué comme si j'étais un frère d'armes, allant

même jusqu'à me passer son flacon de scotch, et un Italien s'était mis à commenter ma bonne fortune avec volubilité. J'avais cru comprendre, en rassemblant mes souvenirs de collège et les éléments étymologiques communs aux langues latines, que je bénéficiais d'une chance inouïe. Bref, je faisais partie de la confrérie des «vrais». Même le Gros Dégueulasse me fit une moue non dénuée de respect. En moins de rien, ces satanés billets me donnaient un rang dérisoire au sein de cette curieuse société.

— Ça va faire pour aujourd'hui, Rick, ordonna le Cubain. Nous reviendrons.

J'y comptais bien. En une soirée, j'avais rassemblé douze semaines de salaire de base qui échappaient au fisc, presque de quoi acheter une petite Morris, avec radio, s'il vous plaît. Mais qui avait besoin d'un tel suppositoire d'autobus anglais lorsqu'on pouvait faire patiner ses pneus en Mercury dans la gloire poussié-reuse de cette ville de vices? Oui, la vie était belle, après tout. Il fallait que j'aille en parler avec mon ami Florian Perreault, afin de lui montrer que je me débrouillais mieux qu'il ne l'avait imaginé, que le journalisme pouvait mener à autre chose qu'à une vie besogneuse. Perreault me reçut plutôt cordialement et se déclara impressionné par ma bonne fortune.

— Y'a-t-il du pigeon à plumer dans ton coin? me demanda-t-il.

Je lui parlai de l'argent qui circulait librement dans les hautes sphères de l'administration municipale, des contrats fabuleux que les entrepreneurs semblaient amasser pour faire de ce bidonville une cité moderne, des revendeurs de matériaux de construction qui s'enrichissaient.

— Attends que je décroche mon diplôme, mon homme, fanfaronna Perreault. Quand le bâtiment va, tout va… C'est là-dedans que se trouve la grosse galette… Enfin, si tu arrives à faire ton foin dans les p'tits journaux, tant mieux. Le tout est d'avoir un *racket*…

Un *racket*… La vérité sortait du puits, nue mais vérolée. Mes contemporains continuaient décidément à vivre le rêve d'avant le krach de vingt-neuf. Tout le monde devait alors avoir son racket, une combine généralement peu avouable, suffisamment en marge de la loi pour ne pas être légale, mais pas trop pour ne pas se retrouver sous les verrous. Comme les anciens gangsters, à cette époque-là, bien des Anglo-Saxons vous demandaient «Quel est votre racket?», comme si gagner sa vie n'était pas autre chose que de vivre aux dépens de pigeons suffisamment imbéciles pour ne pas exploiter leurs semblables.

— Dis-moi, la barbotte… J'aimerais essayer ça, hasarda Perreault à qui j'avais expliqué ma petite combine.

J'en touchai un mot à Butch, qui me demanda aussitôt quelles étaient les références de mon jeune ami. Le Cubain sembla rasséréné lorsque je lui mentionnai que c'était un jeune homme brillant promis à un avenir certain, un type de bonne famille qui voulait simplement s'amuser et qui en avait les moyens.

Trois jours plus tard, Perreault arriva dans la Dynaflow de sa mère en compagnie de son amie et d'une jeune femme à l'apparence plutôt exubérante. Je reconnus cette dernière. Il s'agissait du mannequin de l'annonce qui affirmait, en anglais seulement, qu'avec les soutiens-gorge MoonMart, les filles bénéficiaient d'une silhouette ahurissante. *Chicks are geniusses for figures,* disait le texte… On pouvait admirer cette personne en tenue légère dans les tramways, la poitrine remontée et abondante, ou encore allongée sur un canapé, partiellement dénudée, des lunettes sur le nez, une règle à calcul en main, en train de consulter quelque ouvrage technique, probablement un précis de mécanique ondulatoire.

Le nez collé sur de telles évidences, les jeunes hommes avaient souvent d'embarrassantes érections dans les transports en commun à cause de cette personnification du sevrage précoce de l'*Homo Americanus*. Les filles haïssaient ce mannequin mais n'en achetaient pas moins les soutiens-gorge MoonMart. Une sensualité un peu vulgaire, grasse, pleine de prétentions et de promesses, émanait de Leilah Soutab, car c'était bien elle. Même son nom évoquait à son insu de coquines caresses intimes entreprises à l'occasion de festins de débauche. Perreault jouait au grand seigneur. Les présentations furent brèves et, confronté à ce monstre sacré, à l'ample chevelure brune, imbibée d'un parfum violent mais probablement très cher, à la peau trop bronzée pour la saison, je me sentis comme un puceau malhabile.

Un autre couple arriva dans une Armstrong-Siddeley décapotable. Perreault me présenta le jeune homme comme étant André Saint-Arnaud, le fils unique d'une célèbre veuve, courtière et richissime. La jeune fille qui l'accompagnait semblait être en rupture de couvent et en train de s'excuser de se trouver là. Habillée à l'anglaise, hors du temps, elle ressemblait aux jumelles Dionne durant leurs années de gloire.

Nous étions tous rassemblés dans la cour de la maison de Théo Robidas, près du siège social du journal. Le rideau d'une fenêtre bougea. Tout à coup, j'aperçus l'espace d'une seconde le visage de Suzal, la frêle organiste qui, dans ce décor, était aussi insolite que si j'avais aperçu l'aristocratique Stravinsky composant *L'Oiseau de feu* sur un orgue Hammond déglingué, au beau milieu de la décharge municipale adjacente. Le regard fugace de la musicienne avait balayé le groupe, s'était arrêté sur Leilah, sur moi, puis s'était fait réprobateur. Je ne pouvais dire au juste pourquoi, mais j'en ressentis un grand malaise.

Perreault manifesta le désir de visiter les bureaux du *Phénix*, mais je l'en dissuadai. Il n'y avait rien à voir pour nos visiteurs, sinon de banals meubles de bureau et de la paperasse. Décidément, gens du monde et du demi-monde semblaient se retrouver à Longueuil-Est pour s'abaisser.

— Il paraît que vous êtes un *winner*? me demanda Miss Soutab à brûle-pourpoint.

J'eus envie de lui répondre une obscénité, de la pousser brutalement dans ma Mercury, de démarrer dans un hurlement de pneus, puis de l'emmener au bout du boulevard Monseigneur-Plessis, dans un terrain vague, afin de répondre à ses fantasmes. «T'en veux du *winner*, du primitif, du voyou, espèce de caricature orientale, de déesse pour vendeur de guenilles de la rue Bleury, d'odalisque pour sous-traitants du quartier du *Needle Trade*, pour couseurs de braguettes et finisseurs de boutonnières?» pensai-je. Elle en voulait de l'exotisme? Il me suffisait de lui faire le coup du *superman* sur le capot brûlant de la voiture en laissant tourner le gros V-8 trafiqué par Gene Venne Speed Shop. Elle en aurait les fesses rougies et ses hurlements de plaisir se mélangeraient au gargouillis rauque de l'échappement de la machine. Ça la changerait des chalets confortables où elle devait passer ses fins de semaine avec le fils Goldman. J'allais lui en foutre du *winner*... Du *winner* parfumé à l'essence et, pourquoi pas, au Wynn's, le célèbre additif à moteurs...

Butch Dulac m'arracha à mes rêveries inavouables en prenant son air le plus charmeur.

— *Winner? You bet!* Ici, Mademoiselle, tout le monde est gagnant, tout le monde a sa chance... Je vois que mon ami Éric a une bien belle *escorte*. C'est déjà une maudite chance, ça…

Leilah Soutab minauda. Un autre voyou en vue, mais ô combien dangereux, celui-là. Pourquoi pas ? N'était-elle pas venue pour ça ? Perreault avait dû lui faire le coup de la misère pittoresque et des petits voyous qui allaient lui faire goûter les charmes des maisons de jeu clandestines et de la main baladeuse. Mais n'était-ce pas méchant de ma part de penser en de tels termes ?

Toute la bande se retrouva à la barbotte. Celle-ci fonctionnait au-dessus d'un local qui avait dû, à une époque lointaine, abriter la salle d'exposition d'un concessionnaire d'une marque d'automobiles disparue. Y siégeait à présent un club sportif dont les activités étaient nébuleuses. Je retrouvais sur les lieux quelques figures familières, dont l'inquiétant Méditerranéen et le Gros Dégueulasse, qui regarda Leilah Soutab d'un air libidineux. Loin d'être émoustillée par le personnage, elle lui lança un regard si méprisant que, pendant un instant, j'eus pitié de lui.

Perreault empocha 125 dollars, moi 300 et Leilah 180. Une gentille soirée en somme. Saint-Arnaud, pour sa part, fut moins chanceux et perdit 950 dollars sans sourciller, comme un grand seigneur. Si l'on enlevait les quelques gains que le Cubain avait également empochés, la maison se trouvait largement en avance. Théo Robidas vint nous rejoindre, joua et gagna quelques dollars, lui aussi. Il était accompagné d'Aldo Petrini, un cimentier bien connu, qui flamba une belle poignée de billets sans conviction. Il fit forte impression sur Perreault, qui ne tarda pas à parler construction avec l'entrepreneur.

Puis, tout le monde se retrouva dans une salle privée, « chez Charlie ». Même si ce restaurant n'avait pas de licence pour vendre de l'alcool, Théo s'était assuré d'y voir le précieux liquide y couler à flots. Les filles tentèrent de se mêler de la conversation, mais abandonnèrent bien vite toute volonté de poursuivre. Le ciment ne les fascinait guère. Théo eut la délicatesse de s'excuser auprès d'elles en leur promettant qu'après souper, il nous emmènerait dans un endroit plus drôle.

Enfin, Butch Dulac nous présenta une femme, Esméralda, qu'il appelait « sa fiancée ». Un bref coup d'œil et quelques phrases anodines et je compris que cette personne, qui se donnait des airs hispaniques, n'avait jamais dû sortir de sa province. Cette brune, probablement plus amérindienne qu'autre chose, ne m'était pas inconnue. Je l'avais déjà vue dans un club de l'est de Montréal en train d'effectuer un numéro de déshabillé progressif plutôt sage. En admiration devant Butch, elle semblait ne rien demander de plus à la vie. Une affection aussi naïve tenait du rêve. Malheureusement, avec un oiseau de la trempe de Dulac, ce sentiment était probablement à sens unique.

Les cavalières de Perreault et de Saint-Arnaud semblaient, avec raison, s'ennuyer prodigieusement. Leilah Soutab en profitait pour sonder son entourage. Cette fille respirait une vénalité très calculée. Il suffisait de diriger la conversation sur un sujet concernant des questions d'argent pour voir briller des paillettes d'or au fond de ses prunelles.

Ayant depuis longtemps prospecté Perreault, qui lui avait fait comprendre que son choix était déjà fait et que, par conséquent, il n'avait aucun projet pour elle sinon des ébats préhistoriques, elle jetait des œillades langoureuses à Saint-Arnaud qui, d'une grimace, évinçait de son entourage cette étrangère venue d'on ne sait où, donc peu fréquentable. Elle essaya alors son numéro de charme sur Butch Dulac, mais Esméralda, d'un regard meurtrier, découragea toute tentative de séduction. Je restai le seul célibataire acceptable, un «gagnant» par-dessus le marché. Et je l'avais encore prouvé.

Elle s'approcha de moi, la poitrine débordante, le parfum agressif. Je ne savais quelle attitude adopter envers cette fille un peu commune, terriblement animale. Je n'avais jusqu'alors fréquenté que des étudiantes inquiètes, lisant des auteurs à l'Index d'un air coupable ou discourant à l'infini sur les textes de Teilhard de Chardin ou de Jacques Maritain. Mes expériences sexuelles s'étaient limitées à des ébats épisodiques avec une corpulente anglaise décomplexée sur le siège arrière de ma Ford, puis avec une veuve inconsolable de dix ans mon aînée. Patsy, l'Anglaise, que j'appelais mon *giant economy size* ou format familial, se fatigua de mes refus de m'afficher en public avec elle et prit pour ami un de mes vieux compagnons de beuveries, un anglophone surnommé Big Moose, un poids lourd, lui aussi. Quant à Clara, la veuve, que la précarité des amours étudiantes inquiétait, elle refit sa vie avec un parti sérieux, susceptible de lui apporter une sécurité qu'elle méritait, d'autant plus qu'elle avait un jeune enfant à charge. Occupé comme je l'étais par mon travail et mes études, je m'étais estimé comblé par ces aventures banales mais, somme toute, très saines et sans complications inutiles. Et voilà que s'immisçait dans ma vie ce mannequin inaccessible qui représentait tout ce que j'exécrais : la superficialité, le cabotinage, la prétention.

— *Look…* C'est pas très drôle ici. Allons ailleurs, annonça-t-elle, comme si elle donnait le signal du départ.

La tablée se leva presque simultanément. Robidas, qui n'aimait pas perdre le commandement des festivités, annonça que toute la bande devait se retrouver au Watering Hole, à Repentigny, un club de nuit au bord de l'eau. Selon Théo, on pouvait y danser et deux comiques y donnaient un spectacle de qualité.

Sans même réfléchir, je me retrouvai dans ma décapotable avec Leilah Soutab et me vengeai de Monseigneur Plessis en me lançant dans une course d'accélération sur le boulevard qui portait son nom. Perreault et Saint-Arnaud relevèrent le défi. La Dynaflow de mon ami n'était pas de taille à lutter avec mon monstre, qui s'arracha dans un hurlement de pneus. L'Armstrong-Siddeley de Saint-Arnaud tentait de suivre, mais sa boîte de vitesse à commande électrique était visiblement plus à l'aise à Westmount, *Above The Boulevard*, que dans cette course d'enfer. À bord de sa Cadillac, en compagnie de Dulac et de Petrini, même Robidas y allait de son coup d'accélérateur nerveux. Le bougre se défendait même très bien. Bref, nous étions tous retombés en enfance.

Malheureusement, près de Mackayville, une voiture de police aux vitres sales, à la carrosserie bosselée, m'arrêta. L'agent s'approcha. Il portait un uniforme élimé, à la couleur passée, qui rappelait celui d'un pompiste de station-service en faillite. Avant qu'il n'ait eu le temps de verbaliser, Théo nous avait rejoint dans sa Cadillac, baissait sa vitre et apostrophait le représentant de la loi qui lui répondit de se mêler de ses affaires. Théo lui fit signe d'approcher. Le petit agent s'exécuta et, fort de son droit, baissa la tête pour parler à ce citoyen à grande gueule. Avec une rapidité surprenante pour sa taille, Théo avait saisi l'agent par la cravate.

— Sais-tu un peu à qui tu parles, le cave? lui dit-il. Demande à Barbeau, ton *boss*, qui est Théo Robidas… Robidas, c'est moi, *câlisse*. Si j'ai un conseil à te donner, tu oublies le gars dans la Mercury. Il travaille pour moi. OK? OK!

Théo démarra en trombe, laissant au milieu de la route le petit policier humilié, dénudé de sa mince autorité, plein de poussière. Silencieusement, je plaignais le petit homme qui s'approcha, incertain, et me fit un vague mouvement de main, en chasse-mouche. Je lui adressai un pâle sourire qui, loin d'être triomphant, en était un de solidarité humaine devant l'inéluctable. Je crois qu'il comprit et apprécia ce signe dénué de servilité envers sa relative autorité.

Le Watering Hole était un club typique des années d'après-guerre, naïvement voyant mais avec des nappes et des bougies sur les tables. Deux comiques du Théâtre des Variétés donnaient un spectacle qui s'élevait à la hauteur de coupe d'une tondeuse à gazon mais n'en provoquaient pas moins l'hilarité de la foule. Les textes, prétendument obscènes, faisaient regretter les numéros de *slapstick* des années trente. Les gags tournaient autour des tartes au Barbasol dans le visage, des œufs frais glissés puis écrasés dans le corsage de la comédienne, du siphon d'eau gazeuse dirigé sous ses jupes ou encore de jeux de mots boîteux.

Saint-Arnaud fit une moue de dégoût devant cet étalage de vulgarité. Il fut imité par nos trois cavalières. Je me contentai de sourire en voyant que Théo, Petrini et le couple Dulac semblaient fort amusés. Après tout, je n'étais pas engagé comme critique de spectacles. Au temps de mon stage au quotidien *Le Canada*, en supposant qu'on m'ait envoyé en reportage dans ce cabaret, j'aurais pris un malin plaisir à critiquer cet étalage d'imbécillités, mais ce soir-là… Et puis, qui étais-je pour juger le commun des mortels qui, un instant, oubliait ses soucis ? J'en voulais juste un peu à Théo de nous avoir amenés dans ce trou plein de prétention.

Heureusement, l'orchestre prit la relève avec un mambo endiablé dans lequel Leilah Soutab se crut obligée de m'entraîner en s'exhibant et en déboutonnant savamment les trois boutons supérieurs de son corsage. Les autres danseurs me jetaient des regards envieux et hostiles. Décidément, cette soirée idiote m'ennuyait énormément.

Ce n'est qu'après un deuxième Zombie bien tassé et quelques blues frotteurs avec Leilah, dont le parfum m'envahissait graduellement, que je trouvai quelque agrément à perdre mon temps dans cet établissement. La nuit était belle et pleine de promesses, et je raccompagnai Leilah chez elle, sur la Côte-des-Neiges.

— Faudra se reprendre, me dit-elle en me collant un baiser lippu sur le front.

— Oui, faudrait s'en reparler, me contentai-je de répondre, un peu déçu.

Je n'avais pas envie de commencer à lui faire le grand jeu après cette première sortie. D'ailleurs, la carte du tendre n'était pas mon genre. Même si j'avais la vague arrière-pensée de posséder un jour cette beauté sauvage, j'estimais que si je ne pouvais arriver à mes fins par mes propres mérites et non par de creux compliments, le jeu n'en valait pas la chandelle. Cette fille fréquentait une foule d'hommes nantis de suffisamment d'argent pour en faire flamber dans leur cheminée avant d'aller en rechercher à la banque. Elle ne pouvait comprendre les problèmes réels de ceux qui devaient travailler pour survivre. On l'impressionnait avec une voiture, en gagnant au jeu, en servant de faire-valoir à un personnage influent. C'était mon cas dans le temps et l'espace limités qui m'étaient impartis. Je ne faisais toutefois pas le poids face au fils Goldman, par exemple, qui occupait un poste de complaisance dans la manufacture MoonMart et se payait des vacances hivernales dans les Rocheuses ou aux Bahamas.

Il n'était pas plus question de confier mes états d'âme à Leilah Soutab qu'elle n'en avait de me confier les siens. Seuls le fric, le pouvoir, l'opulence semblaient allumer ses yeux de rubis et donner quelque vie à son teint mat. « La *tchatche*, tout est là ! » m'avait-elle répété au moins cinq fois au cours de cette soirée-là. Un ami juif marocain utilisait ce mot pour désigner tout ce qui était bidon et ce qu'en vernaculaire montréalais on appelait la « boulechitte ».

Cette vénalité était-elle aussi absolue que la sensualité qu'elle dégageait le laissait pressentir ? Et si tout cela n'était qu'un paravent ? Et si ce mannequin un peu prétentieux était, lui aussi, capable de sentiments désintéressés ? Il y avait certainement, dans son assurance forcée, dans l'étalage de ses bijoux en or massif 18 carats, un sens du spectacle, un goût de mordre dans la vie pour compenser peut-être un passé difficile. Au fait, d'où venait au juste cette beauté orientale fortement occidentalisée, parfaitement bilingue, aussi à l'aise chez les juifs à gros cigares, les brasseurs d'affaires du *Needle Trade* et de la fourrure de la rue Mayor, chez les *sub contractors* ou façonniers en chambre de la rue Saint-Laurent que chez les riches négociants libanais ou les boutiquiers syriens ? Sa beauté provocante, sa lourde chevelure, son parfum étourdissant en imposaient aux parvenus au portefeuille bien rembourré comme aux soupirants idéalistes et fauchés dont j'étais l'incarnation.

Malgré mon dépit, je ne pouvais toutefois me résigner à la considérer comme une sorte de poule à patrons. Après tout, cette femme libre, tout comme la grosse Patsy, valait bien nos petites vierges folles coincées, bien catholiques qui, au moment crucial, toutes précautions prises, décrochaient pratiquement le crucifix du mur pour se le placer devant leurs parties génitales en raisonnant sur la vertu, le péché et l'abstinence.

Chapitre 7

Je n'en revenais pas de mon initiation aux maisons de jeu clandestines. Les chefs de police de la Rive-Sud m'avaient pourtant affirmé que tout cela n'était que de l'histoire ancienne datant de l'époque pré-Enquête Caron, avant 1950, et que ces établissements n'avaient existé qu'à Montréal. Or, je découvris qu'un grand nombre de ces maisons de jeu avaient migré de l'autre côté du fleuve et attiraient une clientèle appréciable. Certaines barbottes étaient dites «volantes» et d'autres dites «stables». Les salles de jeu se déguisaient, comme au temps du «Montréal Ville ouverte», ainsi nommé par Pax Plante, des années de guerre, en clubs à charte. Il y avait aussi les *hot shops*, où l'on poussait la vente d'actions et de titres-poubelles très volatiles et éphémères, ainsi que les repaires des inévitables preneurs au livre, *bookmakers* ou «bookies», que l'on pouvait rejoindre par des intermédiaires traînant près de téléphones publics dans des tavernes montréalaises.

Ces maisons de jeu et bureaux anonymes portaient des enseignes aux noms énigmatiques comme Seven Seas Sporting Club ou Garrulous Garruland et baissaient toutes leurs stores vénitiens ou tiraient leurs rideaux, même en plein jour. Les bureaux des *hot shops* et des *bookies* utilisaient généralement une vingtaine d'appareils téléphoniques et plus. La compagnie de téléphone, qui n'était pas chargée de faire le travail de la police, se contentait de se protéger en surveillant quotidiennement le nombre de leurs appels interurbains et en se protégeant par un dépôt constamment renouvelable. Les représentants de la compagnie Bell se promenaient parfois avec de substantielles sommes en argent comptant, susceptibles de les rendre victimes d'attaques. Ils ne craignaient rien, car les maisons de jeu clandestines ne pouvaient se passer de téléphones dont Bell avait le monopole. Les affaires tournaient donc rond pour tout le monde.

Décidé à en savoir plus long, j'approchai des bureaux de certains *bookmakers* pour m'apercevoir qu'ils étaient protégés par des guetteurs; ces derniers demandaient aux clients qui voulaient entrer un motif valable. Lorsque je me présentai en prétendant vouloir parier, les gardiens se méfièrent de mon apparence trop jeune et m'interdirent brutalement l'accès aux lieux. À Mackayville, Greenfield Park, Montréal-Sud, Longueuil et Longueuil-Est, les chefs de police m'affirmèrent ne rien connaître de ces maisons de jeu et ne pas se mêler des clubs à charte qui ne leur donnaient «aucun trouble». De plus, Butch Dulac me prévint d'oublier toute volonté de reportage sur ces établissements clandestins sous peine de représailles de la part de leurs tenanciers, dont l'un d'eux était un *capo* mafieux de Montréal, propriétaire d'un soi-disant «sporting club».

Un beau lundi, Théo convoqua l'équipe qu'il appelait son *brain-trust*, c'est à dire Gingras, Butch et Lagoose. Il me fit mander par la même occasion.

— Ricky, si je t'ai fait venir, c'est que nous avons vraiment besoin du journal. Les travaux de voirie doivent avancer. Comme tu le sais, le maire Descarreaux, qui nous a bien servis, est malade. Notre candidat, Lucien Gore, est prêt à prendre la relève. L'opposition n'est pas très forte et nous nous chargeons de l'affaiblir. Et puis, comme il se doit, Gore a pour lui Harwood-Martin. Faut que ça fesse dans le *dash*, faut que Gore rentre comme une balle. On n'a pas le temps de *tataouiner*. D'abord, le vieux, faut le décoller, lui faire remettre sa démission. Il est mûr. Il est bon pour la *scrappe* et il le sait. Butch, tu organises avec ton frère un comité composé de gars fiables. Charlie, tu sais quoi passer… Tu recrutes des gars. OK? Ricky, il me faut une chanson, une *toune*, une rengaine à la mode sur laquelle tu mettras des paroles…

Ainsi c'était ça. Le brave père Descarreaux, un vieillard qui venait tout juste de se faire élire moins d'un an auparavant et que j'avais croisé dans le bureau de Théo, venait d'atteindre le terme de sa route politique et, bientôt, de son existence. Ce vieux paysan rusé, mais néanmoins manipulé par des forces qui le dépassaient, n'avait plus qu'à rendre les armes.

— J'ai un plan, indiqua Robidas. Le vieux est actuellement pas fort, pas mort, mais je veux un départ à l'américaine. On loue une chaise roulante, on l'assoit dedans, on le hisse et on le pose sur la table lors d'une cérémonie où il remettra sa démission. Il faudra qu'il glisse un bon mot pour Lucien Gore, bien sûr. Cela fera une bonne photo dans le *Phœnix*. Il me faut aussi une photo dans son lit. Je veux que le texte soit de lui. Pas de toi ou de Harwood. Du naturel que tu corrigeras, du *stuff* à faire brailler les mères. Il faut paver la route à Gore avec un tapis rouge. On *flushe* Descarreaux…

Oui, Théo actionnait la chasse d'eau et le vieux maire se voyait non point rayé d'une histoire locale plutôt minable, mais «flushé» comme un étron. Je commençais à me poser des questions sur les qualités humaines de Robidas.

La campagne électorale se déroula sans histoire. Lucien Gore, qui y croyait dur comme fer, multipliait ses apparitions publiques. Dénué de signes particuliers, il aurait passé pour un quincaillier ou un fonctionnaire municipal. Je n'écrivis pas de chanson. Esméralda, qui avait des prétentions musicales, composa une rengaine électorale qui s'intitulait «Les Réformistes». Sur l'air d'une chansonnette française de l'époque, *Le Régiment des mandolines*, chaque couplet se terminait ainsi : «En avant le régiment de la Réforme. C'est nous qui serons les plus forts, nous allons voter Lucien Gore.» Vers la fin de la campagne électorale, la moitié de la population de Longueuil-Est connaissait la rengaine. La fiancée de Butch exultait. Pour elle, c'était la gloire.

L'ultime défilé électoral vit sortir des maisons proprettes comme des taudis toute une population surexcitée qui suivait son candidat. Debout dans une décapotable, trônant comme un César couvert de poussière, Gore se pavanait en regardant ces gens, de toute évidence encouragés à applaudir. Pour augmenter la pression de la populace, Blé Noir, dans son vieux Merc, encourageait les supporters en distribuant des quantités de verres de caribou pour lutter contre l'humidité de cette journée d'octobre.

L'approvisionnement de la foule en carburant était assuré par Théo, qui avait appelé un vieil ami de l'île Perrot, Branko Mirovic. Ce personnage avait à son service une bande de Yougoslaves qui, non seulement lui servaient de gardes du corps, mais fabriquaient aussi de l'eau de vie avec des raisins et des baies sauvages. Ce qui avait débuté comme un artisanat ethnique relativement sympathique s'était transformé en une lucrative industrie, avec des alambics disséminés dans de farouches familles où la loi du silence était mieux gardée que chez des Siciliens ou des Corses. Lorsque la police pinçait quelque Serbo-Croate distillateur, Mirovic lui assurait les services des meilleurs avocats et réglait l'amende. L'immigrant délinquant mettait ses activités en veilleuse, mais d'autres Yougoslaves prenaient le relais et continuaient à fabriquer leur eau-de-vie de contrebande, qui se retrouvait en ce jour d'élection jusque dans les rues de Longueuil-Est. En revanche, ce que nous ignorions, c'est que les raisins et les baies sauvages, qui donnaient une sorte de brandy buvable, avaient depuis longtemps été remplacés par de l'alcool dénaturé ou des moûts d'origine douteuse, traités dans des alambics malpropres, aux serpentins de cuivre oxidés.

«C'est nous qui serons les plus forts!» scandait la foule. On sentait dans l'air une tension quasi sexuelle.

Nombre de participants et de participantes au défilé, les sangs chauffés par le nectar de l'île Perrot, se seraient volontiers accouplés dans les fossés s'ils en avaient eu la possibilité. Une fille, le corsage détendu, la poitrine offerte, psalmodiait, l'air absent, «Lucien Gore… Lucien Gore…» À croire cette multitude, les légendaires lendemains qui chantent étaient arrivés à Longueuil-Est.

Alors qu'appareil photo en main, je suivais sans enthousiasme la cohorte des supporters de notre futur maire, je tombai sur Valmy Lapierre qui me salua sarcastiquement.

— Beau travail, Monsieur le rédacteur en *chief*. Avec les articles de votre bon ami Harwood- Martin en faveur de Gore et la publicité nauséabonde de Robidas, regardez-moi toute cette tourbe remontée des bas-fonds de cette *hostie* de ville…

Je lui fis remarquer qu'il semblait être toujours aussi méprisant à l'égard de ses concitoyens. Comme lors de notre première rencontre, il rétorqua qu'il les aimait mais que ces gens le désespéraient.

— Regardez-les… Ils vont voter pour cette face de carême de Gore. Gore… Savez-vous ce que cela veut dire en anglais? Du sang… Oui, du sang… Du carnage… Gore, un pseudo-Canadien français qui ne parle notre langue que pour mieux nous posséder. Un vampire plutôt ! Un vampire dont il faudrait percer la poitrine d'un pieu, *câlisse*… Mais n'ayez pas peur. Il n'y aura pas de violence. Ce monde-là est trop lâche. Voulez-vous que je vous donne le scénario ? Il va être élu mais ne gouvernera pas. Ce sont encore les escrocs de l'Union nationale qui vont mener grâce à leurs hommes de main locaux. On se débarrassera de ce poisson et un autre imbécile prendra sa place. D'autres *nonos* vont défiler, gorgés de caribou, la main aux fesses de leur traînée, hurlant des slogans niaiseux. Ils retomberont dans leur misère et, cette fois-ci, nous aurons un vrai bandit à la tête de la ville. C'est cela votre démocratie à l'américaine ? Démo-crassie, plutôt. Et vous, vous dites amen, bien sûr, car vous vous nourrissez d'illusions…

Valmy commençait à s'échauffer. Un tel désespoir émanait de sa personne qu'on avait l'impression que seul un acte violent pourrait l'en délivrer. Fort heureusement, l'air misérable du personnage ne suggérait aucunement l'action. Il me lança un regard terriblement lucide et sembla deviner mes pensées.

— Vous devez vous dire que je ne suis qu'un beau parleur, un autre de ces soi-disant existentialistes blasés, que je n'ai pas le physique de l'emploi… Mais je vous le dis : un jour, je ferai des changements dans ce maudit pays de colonisés de merde et vous entendrez parler de moi. Vous savez, lorsqu'on n'a pas la force physique pour soi, on fait tirer les ficelles par les autres…

Je lui fis prudemment remarquer que j'étais heureux de voir qu'il désirait contribuer à l'avancement de notre peuple, peu importait l'orthodoxie de ses méthodes. Après tout, je me disais qu'il était bien d'être un peu révolutionnaire à vingt ans. Dans une certaine mesure, j'enviais Lapierre et maudissais le conformisme qui me pressait de m'intégrer à la circulation, à la grande arène de la vie moderne, à être « un bon p'tit gars » prêt à reprendre le flambeau. Parti comme je l'étais, par rapport à Valmy, j'allais peut-être devenir un petit bourgeois engraissé à quarante ans, un citoyen à matricule, rempli de belles certitudes.

Je ne tenais pas à faire de l'autoflagellation, car j'étais suffisamment lucide pour savoir que les révolutionnaires les plus virulents dans la vingtaine sont souvent loin d'être purs une génération plus tard. Après avoir bien fait parler d'eux, ameuté l'opinion publique et poussé plusieurs de leurs contemporains à commettre des erreurs et des crimes politiques parfois incohérents, ils se font récupérer par quelque gouvernement, museler par l'octroi d'un bon poste, puis deviennent de dangereux réactionnaires connaissant d'autant mieux les milieux de gauche qu'ils en sont issus.

J'avais constaté que lorsqu'on rappelait à ces gens leur passé de militant syndical ou d'activiste émacié, ils balayaient le tout d'un revers du coude en faisant allusion à quelque folklore dépassé ou à une époque de leur évolution dont ils rougissaient souvent. Voilà pourquoi je ne pouvais m'enflammer pour les idées de Valmy même si, confusément, je devinais qu'il conserverait son intégrité révolutionnaire jusqu'à la fin.

— Un jour, je leur montrerai ce que je sais faire à ces *hosties*, monologuait Lapierre. Je m'imposerai, puis je ferai se soulever tous ces endormis qui ne rêvent que de rouler en grosse voiture, qui vivent à crédit et pensent communier au grand rêve capitaliste américain, élaboré par des gens de la haute finance dont le but est de vous faire endetter à perpétuité pour mieux vous dominer. Tu veux continuer à payer ton char ou ta cabane ? Travaille mon p'tit *criss* et ferme ta gueule, ou bien tu vas te retrouver dans le *flop house* au coin de Craig et Saint-Laurent… Un jour, il faudra mettre la torche dans tout cela. C'est la même cochonnerie depuis la Grande Crise. La guerre a un peu arrangé les choses en donnant de l'ouvrage aux gens d'ici pour en faire massacrer d'autres ailleurs. Je vous le dis, cette société, contrôlée par un clergé rétrograde et des financiers véreux à la solde de Wall Street, ne va nulle part. C'est du *nowhere*… Du *nowhere*…

Valmy était en nage, son regard vide et fiévreux. Il se reprit, en haletant.

— Quand le peuple se sera soulevé, qu'il aura reconquis ses moyens de production et brûlé ses vieilles idoles, alors le temps des enfants commencera en Amérique du Nord. Nous pourrons moudre le froment nouveau et pétrir la pâte qui régénérera notre nation…

Toutes généreuses qu'elles fussent, ses idées teintées de dialectique marxiste m'effrayaient. Elles étaient intransigeantes et prônaient la violence, un «Crois ou meurs» fanatique aussi néfaste que l'admiration béate et peu critique de notre système capitaliste par certains. Je ne sus trop quoi répondre.

— C'est intéressant ce que vous dites, commençai-je, mais je demeure convaincu que si nous voulons aller de l'avant, il faut que vous n'hésitiez pas à publier des articles sur le bordel qui règne ici… avec toutes les précautions d'usage, bien sûr… Je ne peux pas dire mieux : je vous ouvre mes pages !

— Avec toutes les précautions d'usage, me répondit-il. Me demandez-vous de m'autocensurer ? Non, à ce prix-là, je pense que je vous refilerai des poèmes, oui, des poèmes peut-être…

Lucien Gore fut élu sans peine et occupa son siège avec une conviction nulle. Une vingtaine de personnes perdirent temporairement la vue pour avoir fait un peu trop honneur à l'alcool frelaté de l'île Perrot. Au cours des mois qui suivirent, peu de choses changèrent à Longueuil-Est. Les bétonnières passaient dans les rues mais ne semblaient s'arrêter qu'épisodiquement sur des chantiers surréalistes pleins de niveleuses et de pelles mécaniques rouillées, où s'agitaient non moins épisodiquement des ouvriers en haillons ne semblant pas connaître grand-chose aux travaux de voirie.

Dans une rue flanquée de quelques rares cabanes mal alignées, un arpenteur-géomètre et son assistant prenaient des mesures. La présence rassurante de ces travailleurs attirait souvent les badauds, car on s'attendait à voir, quelques jours plus tard, arriver la machinerie lourde, enfin débarrassée de sa rouille.

Parfois, cinq ou six ouvriers ressemblant davantage à des évadés de prison venus gagner quelques dollars pour se procurer des armes et, selon l'expression consacrée, «remettre leurs gants» – c'est-à-dire reprendre leurs attaques à main armée –, plantaient mollement quelques pieux de fer le long des chemins, comme si des trottoirs allaient surgir miraculeusement de la fange jaunâtre. Le long de certaines rues, ces piquets aux formes tortueuses restaient fichés en terre et l'on déplorait déjà deux accidents. Deux bambins s'y étaient empalés et l'un d'entre eux avait perdu la vie. En entendant de tels faits divers, Théo Robidas ne manquait pas de faire remarquer que les parents étaient fautifs et qu'après tout, il leur était plus facile de donner naissance à d'autres enfants que de bien élever ceux qu'ils avaient déjà.

Parfois, une de ces rétrocaveuses appelées «pépines» suivait en creusant le tracé des bâtons et des cordages qui n'avaient pas été volés, mais, plus souvent qu'autrement, les travaux s'arrêtaient là. Les camions de gravier et les bétonnières ne bougeaient pas et les tranchées, qui devaient recevoir pierres et ciment, se remplissaient d'eau. Elles servaient de patinoires l'hiver et, durant la belle saison, formaient des sortes de petits marais insalubres évocateurs du paludisme.

Lorsque les moustiques devenaient trop nombreux sur l'eau croupie de ces canaux miniatures, la municipalité envoyait un homme portant sur le dos une sorte de vaporisateur contenant du DDT, dont on faisait abondamment usage sur le territoire.

Plus loin, par je ne sais quel hasard, une chargeuse avait empilé plusieurs tonnes de dalles de ciment qui devaient recouvrir les élusifs trottoirs ou allées de service. Je ne tardai pas à remarquer que l'imposante pile diminuait chaque jour à vue d'œil sans que les trottoirs ne daignent s'allonger pour autant. De ma voiture, je fus témoin du stratagème d'un individu qui, équipé d'une remorque tirée par un tas de ferraille rouillé, s'apprêtait à s'éloigner avec un chargement de dalles.

Je sortis mon appareil photo à bout de bras par la fenêtre de mon véhicule avec l'intention de saisir le fautif en flagrant délit. J'avais là le sujet d'un article sur la dilapidation des biens publics. Le voleur s'éjecta de sa ruine roulante, ramassa une pierre et fit mine de l'envoyer dans mon pare-brise. En une fraction de seconde, j'avais posé mon appareil, bondi hors de ma voiture en me protégeant les yeux et saisi le voleur de dalles à la gorge. À ma grande surprise, je l'arrachai littéralement de terre d'un seul bras après l'avoir fait lâcher son projectile de l'autre.

Je constatai rapidement que je n'avais aucun mérite à réaliser un tel tour de force. Ce citoyen était un poids plume miteux, mal nourri, squelettique, sentant la misère.

— Es-tu fou ou quoi ? lui demandai-je.

— Faut pas m'*stooler*, t'it gars, faut pas m'*stooler*…

Je le rassurai en lui expliquant que mes intentions ne le visaient pas en particulier, car je ne voulais pas le moucharder ou le montrer de face, mais dénoncer une calamité générale : la dilapidation des biens publics.

— Faut pas mettre c'te photo dans l'papier… S'il te plaît… 'tit gars…

Il avait remarqué le nom de mon journal sur une décalcomanie dans un coin du pare-brise de ma voiture. Il aurait pu être mon père. Un père de cauchemar. Il m'expliqua péniblement que, dans sa cour, il pataugeait dans une telle boue que, devant l'incompétence munici-pale, il avait récupéré de la pierre concassée dans un tas abandonné, l'avait répandue autour de sa cabane et qu'à présent il consolidait ses travaux grâce aux dalles de ciment. Il ajouta qu'il n'était pas le seul.

Devant son air d'animal piégé, je lui répondis que je n'avais rien contre lui, que je n'étais pas un *stool*, un mouchard. Pour lui montrer ma bonne foi, j'allai chercher mon Rolleiflex, l'ouvris et déroulai la pellicule devant lui.

— Y en aura pas de photo, bonhomme, mais faudrait tout de même pas continuer à voler la Ville de même… Ça n'a pas de maudit bon sens…

— Je ne fais que reprendre ce qui m'appartient, répondit l'homme d'un air hargneux. Croyez-vous que ces *hosties* de politiciens se gênent pour nous fourrer? Ah! les *caliboires* de *bitches*…

Je le laissai à ses imprécations. Il n'affichait aucun repentir et je n'avais rien à lui répondre.

Valmy Lapierre, qui ne m'avait jamais donné de poèmes à publier mais qui, parfois, prenait plaisir à s'entretenir avec moi, me présenta à un de ses amis, un genre de saint laïc, un militant pharmacien de son état, le Dr Wilbrod Leblond.

Bien qu'il vendît, comme ses semblables, des articles n'ayant pas grand-chose à voir avec sa profession, il s'en distinguait substantiellement en fournissant gracieusement des médicaments à de nombreux déshérités de la ville. «C'est pour compenser nos ententes secrètes avec les laboratoires…» aimait-il répéter. Militant et écrivain doué, il avait publié trois ouvrages, qui avaient été prestement dénoncés par les autorités ecclésiastiques, recensés par les enquêteurs de la Gendarmerie fédérale et examinés par les sbires obèses de la Police provinciale, dite la «Pépé», dont le chef était un fabricant de croustilles bien connues.

De facture littéraire, les ouvrages protestataires de Leblond, parfois teintés d'érotisme, ne pouvaient donner prise à une répression de type primaire, mais comme le Dr Leblond était non-pratiquant et qu'il défendait un peu trop les déshérités, les autorités qualifiaient aisément sa prose de «communiste». Ce personnage complexe, pharmacien des nécessiteux, était surtout un fin perturbateur.

C'est à l'occasion de l'un de ces rares événements sociaux organisés par la Ville, une soirée donnée en l'honneur de Gore, que je pus apprécier les qualités relationnelles de Leblond. Après avoir fait l'éloge de nos hôtes, de la cuisine raffinée et des fins cépages

147

qui l'accompagnaient avec une ironie décapante, il se lança dans un véritable éloge à l'avancement des travaux dans nos rues.

Seuls les imbéciles prirent ces louanges au sérieux. La cuisine et les boissons commandées par le Conseil municipal se bornaient à des sandwiches tartinés de Velveeta ou de Paris-Pâté, du ragoût de boulettes en boîtes, le tout arrosé de vin canadien de type Manoir Saint-David, sans compter du Ben Afnam algérien plutôt râpeux. Quelqu'un avait cru bon de faire passer, en guise de digestifs, des liqueurs de mandarine et de fruits de la passion dont une seule gorgée vous donnait des renvois de produits chimiques toute la soirée. En consommant avec parcimonie ces étranges nourritures, je pensais que l'avancement des travaux était quasi inexistant. Depuis de longs mois, la ville-chantier semblait toujours enlisée dans l'anarchie, comme si quelque révolution sanglante s'y était déroulée.

Je fis remarquer au bon pharmacien Leblond qu'il avait peut-être été un peu trop généreux pour nos hôtes. En guise de réponse, il me présenta un dévot bien connu, puis s'esquiva. Après avoir essayé de me faire croire que la province de Québec possédait le meilleur système d'éducation au monde, l'individu me débita les louanges de M. Duplessis en me récitant par cœur de longs passages des derniers ouvrages de Robert Rumilly, cet historien français fascisant, ancien Camelot du roi, que le chef de l'Union nationale avait engagé comme griot.

En me voyant empêtré dans le filet de ce bavard personnage, je notai du coin de l'œil que le Dr Leblond s'amusait consciencieusement. Je devais remarquer à plusieurs reprises les aspects diaboliques de sa technique. Ce provocateur génial, qui abhorrait les mondanités, se faisait un devoir de réunir des personnes dissemblables, puis de les regarder de loin se donner des coups de griffe.

Avant que je n'en arrive à ce stade, Jean-Edgar Dugré m'enleva à la sollicitude de mon interlocuteur. L'animateur du *Héraut* était accompagné d'un homme qu'il me présenta comme étant un influent conseiller en commercialisation et un lion de la politique municipale, un certain Arthur Seater, dont les yeux mesquins se cachaient derrière des lunettes.

— Et alors, comment vont les affaires? me demanda Dugré. Il paraît que vous roulez carrosse et que nul commerçant ne vous résiste. A défaut de journaliste chevronné, vous voilà rendu maître vendeur redoutable…

Ses allusions à mes méthodes de ventes étaient trans-
parentes. La jalousie suintait de ses propos.

— Comme je vois, vous défendez toujours l'administration de Longueuil-Est et ses petites combines,
poursuivit-il. Oh ne dites pas non... Tsss, tsss, pas
à moi, voyons. C'est très habile ce que vous faites.
Vous êtes jeune, vous avez besoin d'argent. La vente
à pression, la plume engagée, le jeu, les jolies filles,
vous voyez, je suis très informé... Il faut que jeunesse
se passe, voyons donc!

J'étais prêt à lui répondre en termes peu diplomates,
mais la présence d'une tierce personne m'embarrassait.

— Oh! Je ne vous dis pas cela pour ironiser, reprit-
il, seulement voilà, tout cela peut mal tourner. Vous
frayez avec de bien curieux citoyens et vous le savez.
Bien qu'étant votre concurrent, j'admire votre fougue
et votre dynamisme. C'est pourquoi je vous réitère ici
même que si vous éprouvez quelque difficulté que ce
soit, il ne faut pas hésiter à venir me voir au *Héraut*, où
vous pourrez toujours compter sur moi. Je prends à
témoin M. Seater, ici présent.

Il ne manquait plus que cela. Je ne sais quels étaient
exactement les rapports que ces deux hommes

entretenaient, mais ils ravivaient en moi des souvenirs d'enfance, l'image du renard et de son acolyte qui, dans le *Pinocchio* de Disney, détournent le pantin du droit chemin. Cette marionnette, était-ce moi?

— Au fait, reprit Dugré, elle était pas mal du tout la petite orientale avec qui vous vous pavaniez l'autre soir… Pas assez garçonne à mon goût, mais enfin… cela ne se discute pas. Et puis, pour ce que j'en dis… Moi je suis marié, vous savez, et je respecte stricte- ment les liens conjugaux, comme nous l'enseigne notre Sainte Mère l'Église…

Il n'avait pu s'empêcher de faire un sermon. Je le remerciai néanmoins de m'offrir une situation que je ne sollicitais pas. Il aurait fallu que je fusse vraiment coincé pour demander quoi que ce soit à cet homme qui semblait conspirer en permanence. Et puis, j'étais certain que Dugré faisait plus de bouquets qu'il n'avait de fleurs, car *Le Hérault* n'avait certainement pas les moyens d'engager un autre rédacteur. Je ne tardais pas à comprendre le pourquoi de son étrange comportement.

Intrigué par une association plus ou moins secrète mais influente, l'Ordre de La Galissonnière, surnom- mée l'Organisation (les mauvaises langues disaient

La Gamique), on me signala que Jean-Edgar Dugré y faisait la pluie et le beau temps sur le plan régional. Cet organisme portait le nom d'un éphémère gouverneur qui, de 1747 à 1749, avait redressé les torts causés par l'infâme intendant Bigot et une administration trop axée sur les intérêts de Paris. Ennemi juré des Anglais, ce qui n'était guère original à l'époque, le marquis Michel Barrin de la Galissonnière rentra en Europe pour en découdre avec eux et continua à s'illustrer en battant le pauvre amiral John Byng, qui perdit la tête par suite de cette défaite aux mains d'un officier français peu voyant, mais d'un courage et d'une intégrité remarquables.

Bien des Canadiens français avides de réforme et opposés à la prépondérance anglo-saxonne s'inspiraient de l'œuvre, mal connue, de cet incorruptible marquis, que l'on disait, en plus, fervent catholique. Des érudits soutenaient que si cet homme était resté à Québec et s'était entouré de personnages de sa trempe, le cours de notre histoire s'en serait trouvé changé.

À l'image des Francs-Maçons et des ennemis jurés de ceux-ci, les Chevaliers de Colomb, les membres de l'Ordre de la Galissonnière avaient élaboré un rituel initiatique ainsi qu'une hiérarchie composée de degrés que l'on devait gravir au cours d'épreuves plus ou moins complexes. À la différence de ces sociétés, qui avaient pignon sur rue et dont les membres arboraient des insignes au revers de leurs vestes ou sur leurs autos, l'Organisation travaillait dans la discrétion la plus complète et occupait des locaux connus des seuls membres.

Faire partie de l'Organisation permettait certaines entrées dans les échelons intermédiaires de la fonction publique fédérale, où des «frères» se chargeaient de vous protéger. Je me demandais d'ailleurs comment, en qualité de «Grand Bailly» de cette société, Dugré n'avait pas décroché à Ottawa ou à Québec un emploi plus lucratif et plus influent que celui qu'il occupait actuellement, soit responsable d'un hebdomadaire local. Peut-être attendait-il son heure. On racontait que son sens de la conspiration et que certains pans de sa vie privée embarrassaient la haute direction de l'Ordre, qui émettait des réserves à son sujet.

On rapportait également que l'importance de Dugré au sein de *La Gamique* était due à l'influence d'Arthur Seater, qu'il m'avait récemment présenté et sur lequel je m'étais renseigné. Conseiller municipal dans une ville de l'île Jésus, cette étoile ascendante au firmament politique affichait une rigueur religieuse qui lui méritait l'attention des bien-pensants. Ennemi de l'alcool mais aussi du café et des boissons gazeuses caféinées, il avait entrepris dans sa ville une vaine campagne pour tenter d'empêcher la jeunesse de consommer ces breuvages trop «excitants» à son goût.

Sa croisade antialcoolique était bien reçue, mais sa lutte à la caféine faisait sourire. Les détracteurs de Seater l'avaient surnommé «Tartufe Reposecul» à cause du radical *seat* (siège) de son nom. En effet, si cet homme recommandait aux jeunes de ne pas exacerber leurs sens en prenant ne serait-ce que du café, il ne se gênait pas, lorsqu'il se déplaçait pour son travail, pour rechercher de brèves aventures avec des filles peu farouches, comme un commis voyageur ordinaire. Des collaborateurs indiscrets affirmaient qu'il essayait d'oublier sa petite femme dévote dont la première qualité était d'être la fille d'un conseiller juridique d'une importante société d'utilité publique. Quoi qu'il en soit, Seater se positionnait fort bien au sein d'associations nationaleuses fortement à droite et, bien sûr, de *La Gamique*.

J'étais las de ces gens qui vous regardaient comme si vous sentiez le fumier. J'en vins à douter de mes convictions en me disant que, peut-être, j'étais simplement jaloux de ces bons catholiques qui, tout hypocrites qu'ils fussent, cherchaient dans le nationalisme des réponses à des angoisses que je noyais dans le travail, l'automobile et le jeu.

Avec l'élection de Lucien Gore, plus j'essayais de faire mousser la ville et moins je trouvais de sujets. Théo Robidas devenait un peu distant, car l'argent commençait à rentrer moins régulièrement dans les caisses du journal. L'effet d'intimidation que le nom de Robidas avait eu sur les ventes d'annonces s'estompait lentement avec la maussaderie de l'économie générale, et je devais me montrer beaucoup plus persuasif en vendant ma salade.

Sur le plan rédactionnel, je n'avais guère de bonnes nouvelles à annoncer. Les rues étaient toujours bloquées par des travaux, de la machinerie rouillée, des tas de gravier ou de sable dans lesquels les habitants se servaient lorsque, tels des fourmis, ils ne volaient pas d'autres matériaux de construction comme du fer à béton armé et des tuyaux de ciment ou de drainage.

Au poste de police, le chef s'était fait voler son enveloppe de paie par un collègue au casier judiciaire chargé ! Ce poste s'était également distingué en hébergeant dans ses cellules deux malades mentaux, un homme et une femme, que les établissements spécialisés avaient refusés faute de place. Le pire, c'est que l'homme couchait sur le ciment après avoir déchiré la coriace literie de sa prison. La femme, qui se désha- billait et prenait des poses inconvenantes, pouvait être vue par tous ceux qui se donnaient la peine d'entrer au poste et demandaient l'autorisation de regar- der aux policiers. À un moment donné, un ancien constable «calma» la pauvre femme, une résidente de Longueuil-Est, en lui assénant un robuste coup de poing sur la tête. Le spectacle était terminé pour la journée. La comédie dura six jours, pendant lesquels ces malades ne reçurent que de l'eau. Puis, on se débrouilla pour obtenir une camisole de force que l'on prêta au mari de la patiente afin qu'il puisse garder sa femme dans leur taudis. Ainsi fonctionnaient les économiques services d'urgence de Longueuil-Est en ces années troubles.

Bien sûr, je n'eus malheureusement pas l'autorisation de dénoncer ces anomalies, qui furent pourtant signa- lées avec photos à l'appui par les journaux de la grande presse et de la presse de bas niveau montréalaise, ce qui risquait, une fois de plus, de faire apparaître notre ville sous un aspect négatif.

Chapitre 8

Entre-temps, un scandale impliqua un groupe d'entrepreneurs en travaux publics, amis de Théo Robidas. Il s'agissait d'Aldo Petrini, de Giuseppe Astonghiglia et de Pierre DuGermain. La grande presse s'empara immédiatement de l'affaire. Je tentai d'y comprendre quelque chose. Au mieux, j'appris qu'une somme supérieure à un million et demi de dollars s'était volatilisée dans les caisses de la ville pour, disait-on, se retrouver dans les poches de ces trois bandits, dont les équipes travaillaient irrégulièrement dans les rues de Longueuil-Est.

Fermement résolu à élucider l'affaire, je me décidai à interviewer DuGermain, que l'on disait le plus réfractaire à toute déclaration. Persifleur, hautain, plein d'arrogance, cet entrepreneur d'origine française s'adressait systématiquement en anglais à ses interlocuteurs, un anglais excellent par ailleurs. J'eus droit au même traitement. Après lui avoir demandé pourquoi, il me répondit, toujours en anglais, qu'après tout, au Canada, la langue des affaires était celle de la Reine, et qu'à de rares exceptions près, le français de la population était si exécrable qu'il fallait mieux utiliser la langue de la majorité nord-américaine. «Rien de personnel…» avait-il ajouté.

Le ton ne tarda pas à monter. Je lui exposai, toujours en français, qu'il avait découvert, peut-être à son insu, comment la langue du colonisateur pouvait avoir de poids sur une collectivité malmenée par l'histoire, combien il gagnait à éviter de s'afficher comme Français «importé», comme homme faisant partie d'une ethnie sœur tour à tour aimée ou détestée par la population, et ce, pour une multitude de bonnes et de mauvaises raisons depuis le XVIIIe siècle.

J'avais visé juste. Cet ancien ingénieur-conseil en oublia son anglais, devint belliqueux, et se mit à hurler qu'il n'avait pas à se justifier devant des intellectuels de gauche dans mon genre et qu'il en avait maté d'autres en France. Il ajouta que je pouvais toujours «aller me brosser» pour obtenir tout autre renseignement concernant les travaux en litige.

Je lui fis remarquer qu'il me faisait trop d'honneur en me traitant, même ironiquement, d'*intellectuel de gauche*. Il me regarda d'un œil furieux. Ne pouvant espérer d'information pertinente de sa part, perdu pour perdu, je décidai alors de me faire plaisir et de poursuivre mon interview à ma manière.

Au cours de mon enquête préalable, j'avais appris auprès de personnes bien placées au consulat de France que Pierre DuGermain s'était empressé d'émigrer au Canada après la guerre, dans le dessein non seulement d'échapper au fisc de son pays, mais d'éluder commodément certaines questions embarrassantes concernant ses relations vichystes et proallemandes avec lesquelles il avait traité d'importantes affaires. En d'autres termes, s'il n'était pas un fauteur de guerre, DuGermain n'en restait pas moins ce qu'en Europe on appelait un «collaborateur» avec les occupants nazis. Son capital, placé dans des intérêts ecclésiastiques, lui avait permis de s'installer ici sans trop s'attirer la curiosité des autorités canadiennes.

Bien plus que le simple fait d'être l'un de ces Français exécrables qui donnaient une si fâcheuse réputation à trop d'infortunés immigrants de l'ancienne patrie, ses antécédents confirmaient le souci qu'il avait de dissimuler ses origines à l'abri d'un anglais impeccable qui avait l'avantage de le mettre dans les bonnes grâces des admirateurs de la Couronne, tout en gardant ses distances vis-à-vis des francophones un peu trop curieux. Ceux-ci comprenaient notamment ses compatriotes d'origine, anciens combattants ou Compagnons de la Libération, plus ou moins bien disposés envers les «collabos».

N'ayant plus rien à perdre, je décidai de ne pas ménager ce malcommode en lui demandant, d'un air faussement naïf, s'il était exact que les inspecteurs du fisc français avaient l'intention de venir le questionner à Montréal, accompagnés d'enquêteurs issus des comités d'épuration. Il devint livide et explosa.

— Des jeunes cons comme vous, vous savez ce qu'on en faisait pendant la guerre ? On les envoyait travailler en Allemagne ! Ça leur faisait les pieds. Malheureusement, ici, vous n'avez pas eu la guerre et, par conséquent, vous ne savez pas vivre…

— Quand vous dites « on », vous voulez sans doute parler de la Milice, des Boches ou de leurs amis ? Il est vrai que lorsqu'on s'appelle DuGermain, on a déjà des prédispositions quelque peu germaniques, répliquai-je non sans une impertinence juvénile dont je n'étais pas très fier.

Je dois avouer y avoir été un peu fort et de manière trop puérile. Il faillit s'étrangler, prit un air indigné, décrocha son téléphone et appela quelqu'un. Un contremaître d'au moins 250 livres, en chemise de flanelle à carreaux, avec des mains comme des jambons, fit irruption dans le bureau.

— Albert, flanque-moi ce jeune colporteur dehors et dis-lui de ne jamais se représenter ! ordonna DuGermain, en anglais.

Sans ménagement, ledit Albert m'avait saisi par le collet d'une main de fer et entraîné à l'extérieur.

— T'as compris ? me demanda le contremaître. Mets plus les pieds *icitte*...

— Mon *chum*, tu m'as vraiment éclairé. D'abord, je ne suis pas un *peddler*, un colporteur comme le dit si bien ton *boss* et, deuxièmement, sais-tu que tu fais là un drôle de travail ?

— Que veux-tu... L'ouvrage est rare, me dit-il en me poussant brutalement vers la rue.

Giuseppe Astonghiglia, mon second interlocuteur, était plus souriant que DuGermain. Il avait l'air d'un brave mafiosi. Il m'invita au Club Lemoyne, où se réunissait le gratin des affaires de la Rive-Sud et, après m'avoir offert un scotch hors d'âge, me demanda ce que je voulais au juste savoir. Maladroitement, je lui débitai tout ce que j'avais appris sur le *deal* d'un million et demi. Il s'empressa de me rassurer.

— Tu sais que je suis un ami de ton *padrone*?
commença-t-il d'un air paternel. Tu sais que je le
respecte, qu'il me respecte et qu'il t'aime bien. Fils,
il y a des choses que tu crois connaître mais que tu
ignores. La jeunesse… On a tous été jeunes. Il y a des
deals qui se préparent là-haut, à Québec, des combinaisons qui nous permettent d'ouvrir des chantiers
et de faire travailler du monde. Ce serait trop long à
t'expliquer. Tu as une bonne *job*, une *job* de petit *boss*
dans un petit journal. Penses-tu que ce soit nécessaire
de tout raconter ce qui se passe? Est-ce que ça va
donner plus de travail à nos ouvriers? Est-ce que ça
va faire avancer les chantiers plus vite?

J'eus beau faire valoir que toutes ces belles intentions me paraissaient troubles, que l'utilisation de
fonds publics intéressait en priorité les citoyens et non
les politiciens et les entrepreneurs de grands travaux,
il me soutint que tout était partout pareil, en Europe
comme ici, qu'on ne changerait pas le monde et que
beaucoup de données échappaient au commun des
mortels, l'octroi de contrats relevant d'une science à
laquelle les jeunots dans mon genre étaient parfaitement étrangers.

— Dis-moi, mon garçon, reprit-il avec son savou-
reux accent italien. Pourquoi voudrais-tu faire de la

peine à Théo en me posant des questions aussi plates ? Tu ne voudrais pas manquer de respect à un ami de ton *padrone*, n'est-ce pas ?

Je me sentais empoté et un peu salaud, même si le charme de Théo Robidas n'opérait plus sur moi comme avant. Je me sentais sur une pente savonneuse. L'entrepreneur trancha le dilemme.

— Tu travailles dans le papier, n'est-ce pas ? commença-t-il. Le papier, on peut se torcher avec comme on peut écrire des pages émouvantes ou préparer de beaux contrats. Oui, le papier c'est utile. Dans la vie moderne, on ne peut pas s'en passer mais, parfois, le papier peut être aussi dangereux que de la dynamite. Il peut flamber et faire flamber des gens. Le papier, tu connais, c'est bien, mais permets-moi de te donner le conseil d'un vieil ami. Moi, je connais l'asphalte et le ciment, et ça, c'est autre chose. L'asphalte et le ciment, si on y fourre un peu trop son nez, on risque de rester collé ou de tomber dedans... *See what I mean ?*

Un instant, son regard se durcit, devint glacé, inexpressif, prédateur. Il me commanda un autre whisky, se leva pesamment et me donna une tape amicale sur l'épaule.

— Va, pense à ton *padrone*, Fils. C'est un bon gars, je te le dis. Tu as de la chance. Allez, *ciao*!

Je bus mon whisky d'un trait puis en commandai un autre avant de rentrer à Montréal en trombe, manquant d'accrocher trois voitures sur la maudite chaussée en treillis du CNR qu'on appelait volontiers *Canada's National Relic*, mieux connue sous le nom de pont Victoria. Si on m'avait dit que j'étais suicidaire, j'aurais acquiescé.

Gore piétinait et son incompétence se manifestait un peu plus chaque jour. En travaillant avec acharnement, je parvenais à maintenir le journal à flots. Mais lors de ma tournée des commerçants, il fallait que je me montre de plus en plus agressif pour revendiquer mon statut d'envoyé de Théo Robidas. Néanmoins, on le craignait encore. Je perdis quelques contrats, dont celui de Pierre DuGermain. À son bureau de Montréal, il me fit dire par un intermédiaire qu'il accordait dorénavant sa clientèle au *Héraut*. Je lui envoyai par courrier spécial un message écrit que tout Français était censé comprendre. Je lui disais crûment d'aller se faire «empapaouter chez les Grecs». Pour faire bon poids, j'avais dessiné un bras d'honneur avec, en prime, la traduction de mes injures en *slang* améri-cain. Il en voulait de l'anglais? Il en avait. Une fois de plus, cela ressemblait à une plaisanterie de collégien, mais il fallait qu'au moins une fois dans sa vie quelqu'un lui dise ses quatre vérités. Et puis, je n'avais pas du tout aimé notre singulière rencontre.

Le collabo n'apprécia guère et appela Théo Robidas. Astonghiglia m'accorda un quart de page en me faisant observer qu'une fois de plus, c'était par respect pour mon *padrone*. Petrini fit de même, en me remerciant de ne pas l'avoir « achalé avec cette histoire de contrat ». On l'avait sans nul doute prévenu.

— Il y a des affaires d'hommes que tu es un peu jeune pour comprendre, m'expliqua-t-il. Remplir ton journal, c'est bien, mais pas avec des choses négatives ou des histoires de langues sales. Ce n'est pas comme ça qu'on se fait des amis. Et puis, les langues un peu trop longues, un jour ou l'autre, elles se font couper. Alors tu ne voudrais pas être de leur bord, n'est-ce pas? Un Robidas' Boy, ça se tient avec les hommes d'action, pas les langues sales...

Voilà que j'étais assimilé, bien malgré moi, à une sorte d'homme de main du clan Robidas. Il me servit un délicieux café sorti d'un percolateur.

— Le bon café, ça fait réfléchir, petit. Va, *and keep on the good works*, me dit-il en me donnant une claque amicale à la manière d'un évêque en train de confirmer.

Je compris qu'il s'agissait là d'un avertissement.

L'après-midi même, Théo m'admonesta pour avoir perdu le compte DuGermain. J'eus beau tenter de lui expliquer l'attitude irascible du bonhomme, il coupa court à toute explication.

— Un client, c'est un client, me répondit-il. Tu n'avais pas à lui poser de questions stupides ni à lui parler de ces vieilles histoires de guerre dont nous n'avons rien à *décâlisser*. Je le sais que c'est un maudit Français baveux qui se prend pour un autre, un *hostie* de *téteux* qui aurait peut-être dû être emprisonné dans son pays, mais tout ça, c'est pas de nos affaires. Si y avait que moi, je l'étamperais volontiers dans l'front, mais c'est un client, un c-l-i-e-n-t! Et t'avais pas non plus à poser les mêmes questions stupides à Astonghiglia et à Petrini. Tu es *lucky*; ces deux-là t'aiment bien, mais force pas ta chance Ricky… Les opérations financières qui t'intéressent tant n'ont pas à être expliquées dans le journal. C'est pas des affaires de tit-cul de journaleux. Ce sont des histoires d'hommes et ça ne regarde pas la population de Longueuil-Est qui lit cette feuille pour les annonces, les messages politiques, puis qui se torche ensuite avec parce qu'il peut pas se payer de papier de toilette Dreadnought. Si tu écoutes tous les brasse-*marde*, on serait un vrai journal à scandale. Souviens-toi de Pedneault et de ses « révélations » sur le juge Harwood-Martin… Ça n'a pas été bien loin, hein ?

Son regard se durcit. Je pensai à Dan, le petit ami de Pedneault qui, près avoir été abandonné dans une carrière, l'anus déchiré, avait dû passer un mois à l'hôpital. Un innocent, qui avait payé pour mes indiscrétions pleines de bonnes intentions. Je trouvai ironique que Théo fasse allusion aux journaux à scandales après qu'il m'ait demandé de collaborer avec le photographe vautour de *Métropole Confidentiel* lors de la déplorable affaire Pritchard. Il me restait à en conclure que mon enquête avait tourné court.

— Continue à vendre des annonces et à parler des bonnes œuvres… Cela ira beaucoup mieux pour nous tous, conclut Théo d'un ton qui n'admettait pas de réplique.

La routine s'installait, mais une atmosphère lourde pesait sur le journal. Dans nos pages, je tentais de stimuler l'intérêt de la population pour les œuvres de charité. Malheureusement, celles-ci faisaient toujours partie d'une campagne plus ou moins publicitaire où chacun trouvait son compte. Valmy Lapierre venait souvent les commenter. Il me tomba dessus un vendredi soir, à l'improviste.

— J'ai vu votre article sur la dernière distribution de pain Weston, et particulièrement celle à la famille Coulombe, ironisa-t-il. Ah! c'était beau… M'sieur l'curé, le conseiller municipal du coin, le commentateur Alexis Millet, de CKAC, avec sa coiffure et son air aussi faux qu'un billet de trois dollars, qui parlait de l'affreux taudis dans lequel il se trouvait devant ses propres occupants, les enfants malades, la bonne femme abandonnée, si maigre qu'elle avait l'air sortie des camps d'extermination nazis, les murs tapissés de papier journal décoloré en guise d'isolation et même le député au nom bâtard, votre ami Harwood-Martin-Maartine-The-Judge avec son chapeau à bord roulé de banquier londonien…

Je lui souris sincèrement. Les descriptions de Lapierre étaient toujours un peu outrées mais, dans le fond, elles décrivaient la situation en des termes que je n'aurais jamais osé utiliser, et cet extrémisme était particulièrement défoulant.

— ... Et je te donne dix pains-kleenex, poursui-
vait-il. *Marci* ben, M'sieur... Quand ces pains-là
seront mangés, ces pauvres gens devront-ils aller
quêter encore pour en avoir dix autres pour que la
radio et peut-être le journal filmé viennent montrer
à tous les bien-pensants au cul béni comment notre
merveilleuse *society* fonctionne? Les bons sentiments,
ouais... Et que fait-on vraiment contre la misère
dans notre belle fédération, défenseure des démo-
crasseux que nous sommes? Aide aux travailleurs
licenciés? Néant! Programmes de réinsertion sur le
marché du travail? Néant! Allocations familiales?
Quasi-néant! Vous ne me direz pas que ce n'est pas le
règne du corporatisme déloyal, du système du genre
« au plus fort la poche et que les autres mangent d'la
marde », le règne des maudits *têteux* de cigares de la rue
Saint-Jacques?

Je me souvenais en effet de cette ridicule distribution
de pain déjà rassis à laquelle assistaient les administrateurs et les célébrités de la ville. Je me souvenais aussi de
l'intervention du Dr Leblond, passant par hasard dans
une masure. Il avait apostrophé Millet qui, au micro de
CKAC, avait décrit l'horreur de ces lieux, devant ses
occupants, avec une profusion de descriptions miséra-
bilistes comme « ignoble taudis », « bâtiment infect »,
etc. Le pharmacien, qui avait apporté quelques

médicaments pour les enfants Coulombe, était sorti de l'une des pièces du logement. Écartant une draperie en lambeaux servant de paravent, il avait demandé au technicien radio de fermer son magnétophone.

«Chers messieurs de la radio, n'oublions pas que nos pauvres ont aussi un cœur. N'avez-vous pas honte de faire du sensationnalisme devant cette mère de famille? C'est révoltant!» avait-il dit.

Penaud, le technicien avait obtempéré, mais le soir même, Millet, qui avait enregistré son texte de retour au studio, ne manqua pas de raconter les sottises et les détails sordides qu'il avait de toutes manières l'intention de dévoiler.

En vérité, si le portrait que Lapierre brossait de la situation était cataclysmique et un tant soit peu caricatural, il fallait avouer que le fond de vérité demeurait saisissant. Il faisait fi des lois du marché et de la libre entreprise. Pour lui, toute propriété constituait un vol si les biens n'étaient pas répartis de façon égalitaire. Vieille rengaine politique. Et, dans son catéchisme, quelle solution préconisait-il? L'avènement de l'État-providence, celui d'une société utopique, d'une dictature à la soviétique? Valmy souffrait énormément car, faute d'une sérieuse formation en économie, il était bien en mal d'expliquer sa théorie de façon structurée.

— Je vais vous en donner une solution, poursuivit-il. Des malheureux comme la mère miséreuse et ses enfants malades, mieux vaudrait qu'ils passent au feu ; oui, à la torche ! Pas très chrétien dans le sens cucu du terme ? Peut-être, mais ces martyrs seraient les étincelles qui engendreraient un monde nouveau où de telles cochonneries n'existeraient plus. Quelques vies humaines n'auraient pas grande importance pour faire avancer le dossier de la justice sociale, pour faire réfléchir les exploiteurs du petit monde. D'une manière ou d'une autre, ces gens mourront à petit feu ; ils finiront tout de même par crever. Alors ?

Atterré par ce pessimisme, je lui demandai comment il pouvait encore envisager tant de violences, d'innocentes victimes quand, voilà à peine quelques années, nous subissions à l'étranger les ravages de la guerre et, aujourd'hui, ceux des idéologies totalitaires. Il me répondait alors que la guerre n'avait servi à rien, sinon à relancer l'économie, que la violence ne lui faisait pas peur si elle devait déboucher sur une véritable libération, une purification dans l'eau lustrale de la Révolution.

— Avez-vous lu *Le Rôle de la violence dans l'histoire* de Friedrich Engels et l'œuvre de Gheorghiu Valentinovitch Plekhanov? me demanda-t-il.

— Le menchevik? Des références parmi mes lectures en histoire et en philosophie, mais la dialectique marxiste m'a toujours souverainement ennuyé, même dans ses aspects les plus idéalistes, lui répondis-je. Si c'est du proudhonisme remis à la sauce moderne et de la pseudo-dictature du prolétariat dont vous voulez parler, merci beaucoup… Ces idées ont déjà beaucoup sévi en Europe. Demandez aux hordes d'émigrants des pays du Rideau de fer qui débarquent chaque jour chez nous. J'en connais. Je vous en présenterai…

— Justement pas, justement pas, reprit Lapierre. Pas du pseudo, mais ce dont je rêve c'est d'un vrai socialisme d'ici, un socialisme canadien-français authentique, à nous autres, qui n'aurait rien à voir avec la philosophie des partis communistes européens. Un parti populaire pour les gens d'ici, un genre de Laurentie socialiste. Je vois le peuple de Longueuil-Est et des autres villes démunies sortir de son bourbier, de sa *sloche*, de sa *québécitude*, que j'appelle qu'hé-bé-tude, pour jeter les bases d'une société nouvelle dont seront bannis les exploiteurs du peuple, les traîtres de la rue

Saint-Jacques, les *blokes* de Town of Mount Royal et de Westmount, et leurs affidés qui nous méprisent et nous asservissent. Mais ce n'est pas avec la distribution de quelques pains-kleenex «Veston» qu'on règlera tout ça, admettez-le! Il faudra que le sang coule… Que les travailleurs décrochent leur vieux 12 ou leur vieille 30-30 et aillent dans la rue. On ne fait pas de révolution avec de bons sentiments. Regardez les Français, les Russes… Ça a bougé chez eux quand ça a fessé dur. Ici, on a peur d'avoir faim, d'avoir froid, de perdre notre petite *job* ou notre poste de petit *boss*; alors on couche avec nos exploiteurs. On transige avec eux, on se livre aux plus abominables compromissions. Oui, il faudra payer de son sang pour laver toute cette merde… Cette polymerde…

Comme d'habitude, après avoir lâché son ultime juron, il hoqueta, sua abondamment et se prépara à s'en aller. N'eût été cette odeur de transpiration aigre, cette sensibilité pathologique d'homme mal dans sa peau, Valmy Lapierre aurait pu être aussi beau qu'un jeune orateur. Si de prime abord on était porté à sourire lorsqu'il exposait ses idées politiques plus ou moins bien digérées, semblables à celles que certains étudiants et artistes sentencieux ayant un peu trop consommé de *goof-balls* ou de marijuana débitaient devant un interminable café à La Petite Europe, ou à

L'Échouerie, on sentait que vibrait chez lui la détermi-
nation farouche des idéologues.

On devinait que cet homme plutôt fragile n'aurait
jamais étreint la crosse d'une 30-30, dont le seul recul
l'eût renversé de façon ridicule. Il n'était pas de la race
de ces anarchistes ébouriffés qui tirent sur les personna-
lités politiques ou les poignardent de manière presque
erratique avant de se faire appréhender, pas plus que
de la race des poseurs de bombes artisanales. Il appartenait à la catégorie de ceux qui s'arrangent pour
demeurer dans l'ombre en faisant des adeptes et en les
poussant à poser des actes irrémédiables. Aussi juvénile
que semblait être l'ardeur de Valmy, on devinait qu'il
ne s'en tiendrait pas à de creux propos, qu'il ferait un
jour parler de lui. Mais j'étais de plus en plus persuadé
que ce séduisant parleur ne passerait jamais à l'acte :
il était lui-même une sorte d'engin à retardement, de
cellule dormante qui finirait en politique ou dans la
clandestinité. Il s'était déjà fabriqué un nom. Restait
l'action à accomplir. Un jour, il m'avait confié que son
prénom n'était pas Valmy mais Paul. Il s'était rebap-
tisé Valmy en l'honneur de la victoire remportée en
1792 par les soldats dépenaillés de la Convention qui
avaient sauvé la France révolutionnaire en danger
– un détail auquel seuls quelques rares Québécois,

enseignants professionnels ou férus d'histoire des vieux pays, étaient susceptibles de s'intéresser.

Démoralisé par ses propos, je consultai ma montre et ouvris la télévision de mon bureau. L'heure des nouvelles approchait. Une publicité type les précédait. Elle tentait de nous convaincre qu'au pays du Québec, rien ne changeait, et mettait en vedette la mascotte de la brasserie Labatt, une espèce de bûcheron traditionnel portant un dossard rehaussé du numéro 50. Toute l'argumentation était orientée vers la pérennité de nos saintes traditions, avec le soleil qui se couchait toujours sur le dos rond des Laurentides et les braves hommes des bois heureux de prendre un coup. La brasserie Molson abondait dans le même sens en nous affirmant que ses bières étaient les mêmes que celles que consommaient nos arrière-arrière-grands-parents. Et puis, il y avait Miss Moutarde Schwartz, une brune pulpeuse qui, en compagnie d'une fillette plutôt obèse, vantait la beauté des «belles grandes familles canadiennesfrançaises», consommatrices des produits de son commanditaire. Après les nouvelles, on annonçait en soirée un film édifiant, appartenant à la série dite du «Festival des péchés» de M. Alexandre de Sève, l'un des grands patrons du futur Canal 10 et grand importateur de mélodrames. Ces navets insignifiants, comportant souvent des titres contenant le mot «péché», présentaient l'avantage notable d'être approuvés par le Bureau de censure cinématographique de la Province.

Oui, cette télévision nous reflétait. Il suffisait de regarder quelques programmes pour se persuader qu'il était inconcevable que Valmy Lapierre ou ses semblables veuillent donner un coup de pied dans la fourmilière de notre société nord-américaine, religieuse du bout des lèvres, non hostile à un certain maccarthysme, relativement peu touchée par la dernière guerre mondiale. Si Valmy avait raison de rager contre notre gouvernement provincial, ses escrocs et notre apathie, il n'en demeurait pas moins qu'il tournait à vide.

Confusément, je l'enviais pour son insoumission, qui nous changeait des bons mots à la *Reader's Digest* – que Valmy appelait *Reader's Disgust* – dont la population alphabétisée s'abreuvait volontiers avec le consentement des autorités. Mais qui étais-je pour le juger? Même si je reconnaissais son sens critique, la seule différence avec lui est que je croyais encore pouvoir faire quelque chose pour améliorer le système, pour embellir cette ville, alors que lui ne pensait qu'à y mettre le feu, y compris au taudis de ses parents, pour tout purifier, pour repartir à zéro, pour établir sa Cité mythique radieuse, socialiste, juste. Je fermai le téléviseur, bien décidé à mettre un terme à cette conversation sans issue.

— Tu as vu, Valmy? lui dis-je. Pendant que nous discutons des meilleurs moyens d'améliorer l'espèce humaine, le Bonhomme cinquante de la brasserie Labatt distribue ses pièces de 25 et de 50 sous dans les rues à ceux qui le reconnaissent, les fils de famille d'Outremont peuvent se payer l'Université avec la belle situation à la sortie, la populace peu instruite de Saint-Henri-Smoke-Valley s'endette à crédit tant qu'il y a des *jobs* et patauge dans la *slush*. Quant à nous, qui avons fait quelques études à la hâte, sans passer par la voie royale des professions traditionnelles, nous les prétendus espoirs du pays, la classe très moyenne, servons d'amortisseurs entre les dominants et les dominés. Nous, qui nous apprêtons à soutenir par nos impôts les déshérités de cette société, nous, les prétendus bourgeois qui ne vivrons jamais que dans une médiocre aisance, à trois mois de la faillite personnelle à cause de notre endettement, sommes fatigués de nous faire accuser de tous les péchés d'Israël. S'il est vrai que nous portons sur nos épaules le poids de la mauvaise administration et des combines de nos dirigeants, cela n'a rien de très original, j'en suis conscient. On retrouve cela dans cent pays, qu'ils soient capitalistes ou socialistes. Tu as fait là une troublante découverte,

Valmy… Mais la torche et le fusil exceptés, car tout cela me semble bien radical et bien inutile, que proposes-tu pour l'avenir de Longueuil-Est et les autres, y compris les pauvres exploités dans notre genre ?

Mon ironie et mon tutoiement l'irritèrent.

— Parlez pour vous, Monsieur-le-petit-*boss*, Monsieur-le-plumitif-en-*chief*. Moi je rejette, je vomis, je chie sur cette société. Je ne me contente pas de compromis en fermant ma gueule, en payant des impôts à Louis Saint-Laurent ou à Duplessis, en supportant une société, pardon une « society » bâtarde, à-plat-ventriste, insipide, *plate*, une société immorale. Ah ! non, ça ne se passera pas comme ça… Il faudra y mettre un terme, croyez-moi, même s'il faut mourir sur les tas de déblais qui jonchent nos rues, fusil au poing…

Une fois de plus, sa diatribe l'avait épuisé. Et moi aussi. Il me tendit quelques feuillets.

— Vous vouliez des poèmes. Les voilà, se contenta-t-il de me dire en s'en allant.

Chapitre 9

Comme bon nombre de gens, j'aimais traîner les vendredis soir au bureau. C'étaient des heures magiques au cours desquelles je pouvais tranquillement faire le bilan de la semaine sans supporter le bavardage incessant des visiteurs et des solliciteurs en tous genres, et préparer la suivante. J'aimais l'odeur des épreuves en placards et des clichés de zinc qui traînaient sur la table de mise en pages, les relents persistants du tabac.

Tandis que je me concentrais sur la prose de l'honorable juge Harwood-Martin qui, dans un style élégant, faisait l'éloge de la présente administration de Longueuil-Est et encensait le Premier ministre Duplessis, j'entendis la porte d'en bas s'ouvrir et quelqu'un monter l'escalier d'un pas léger. Croyant avoir affaire à un client ou à un collaborateur tardif, je me levai, pour tomber nez à nez avec Suzal Robidas dans le couloir sombre sur lequel débouchait la cage d'escalier. Je pouvais respirer son frais parfum et j'en fus troublé.

— Excusez-moi, M. Sanscartier, vous aurais-je fait peur ?

— Laissez tomber le «Monsieur». Nous avons pratiquement le même âge. Pour vous, c'est Éric… D'accord? Non, vous ne m'avez pas fait peur. Des peurs comme celle-là, je suis prêt à en avoir vingt fois par jour! Que me vaut le plaisir de votre visite?

Je me sentais malhabile, guindé, alors que j'avais envie de la serrer dans mes bras, sans préambules, de la couvrir de baisers en lui disant combien elle m'avait impressionné dès notre première rencontre, combien j'admirais son jeu d'orgue passionné. Au lieu de cela, j'étais l'admirateur maladroit qui essaie en vain d'attirer l'attention de la vedette. Tout en me disant: «C'est une fille comme ça qu'il te faut. Quelqu'un de sensible, d'artiste, d'intelligent…», je me sentais condamné à vivre des aventures sans lendemain avec de volumineuses sottes ou, au mieux, des allumeuses jouant mal aux femmes libérées. Amoureux instantané, voilà ce que j'étais.

Elle sentit sans nul doute mon désarroi et s'adressa à moi d'une voix hésitante.

— Je ne sais trop comment vous dire cela, mais je vous observe… Vous n'êtes pas comme les autres hommes qui travaillent pour mon père. Vous êtes un garçon différent des autres, pas comme Dulac,

Gingras et le reste. Je lis vos articles. Pour les gens d'ici, c'est inutile. Ils ne lisent que les annonces des épiciers-bouchers. Quand ils lisent… Vous perdez votre temps ici. Il n'y a pas d'avenir pour vous dans cette ville…

Je lui répondis qu'elle était certainement trop flatteuse pour mes articles et trop sévère pour notre clientèle, lui expliquai que j'étais venu prendre une inestimable expérience dans cet hebdomadaire. Après tout, j'avais un contrat et, jusqu'à ce jour, son père et moi en avions respecté les clauses.

— Un contrat… reprit-elle d'un air triste. Éric, à cause de vos derniers articles, même s'ils sont trop bien tournés pour les citoyens de notre ville, vous êtes en train de vous faire des ennemis malgré vos bonnes intentions. J'ai peur pour vous… Je me mêle de ce qui ne me regarde pas, mais j'ai entendu des choses et ce n'est pas rassurant…

Il est vrai que dans les deux derniers numéros, j'avais adopté un style plus revendicateur. Peut-être l'influence de Valmy Lapierre… Cela n'avait pas dû plaire à tout le monde, mais ni Gingras ni Robidas ne m'en avaient touché mot. Je lui demandai ce qu'elle savait au juste.

— Ne me forcez pas à trop parler, mais je suis bien placée pour être renseignée. Vos chamailleries avec certains entrepreneurs, par exemple…

— Et alors? Ça fait partie du métier. J'ai un travail à faire. J'ai été mandaté pour être en quelque sorte l'antenne de cette ville…

— Une antenne qu'un coup de vent ou qu'un bulldozer politique peut abattre, peut écraser en un rien de temps… Je vous en prie, éloignez-vous de Longueuil-Est. Je ne voudrais pas qu'il vous arrive quelque sale histoire…

Ces propos me troublaient de plus en plus. Je me moquais bien des menaces à peine voilées que Suzal essayait maladroitement de me transmettre. Je ne voyais qu'elle, me sentais irrésistiblement attiré vers cette jeune fille maladroite qui essayait de faire quelque chose pour moi et je savais que c'était réciproque. Aussi, après l'avoir remerciée de se soucier de mon avenir et lui avoir répété que mon travail me retenait pour l'instant dans cette ville, je risquai le tout pour le tout. Je décidai de lui déclarer mes sentiments à ma manière, d'une voix qui me parut plus que timorée.

— Pour changer de sujet, j'adore quand vous jouez de l'orgue. C'est un émerveillement pour moi. Rien que pour cela, je pourrais continuer à travailler ici pour un salaire ridicule. Vous êtes le genre de fille avec laquelle j'aimerais parcourir le monde et faire ma vie. Je ne veux pas me l'avouer, mais c'est comme ça depuis la première fois que je vous ai entendue jouer, que je vous ai vue. Je sais… Je sais… Bien des choses nous séparent, mais j'ai toujours gardé l'espoir de sortir un jour avec vous et voilà que vous me dites de m'en aller…

— Pauvre Éric… Prenez bien soin de vous. *Take care*, se contenta-t-elle de répondre, un sanglot dans la voix.

Malgré la pénombre, j'eus l'impression que ses yeux brillaient un peu trop. Des larmes, peut-être… D'un geste aussi soudain qu'inattendu, elle s'approcha alors de moi, déposa un baiser furtif sur mes lèvres et s'esquiva avant que je puisse comprendre ce qui m'arrivait.

J'étais abasourdi. En quelques secondes, je me voyais projeté dans une impossible idylle avec la nièce de Théo Robidas, l'homme qui pouvait d'une seule main briser la nuque d'un quidam ou encore regarder d'un œil morne des enfants brûler dans une maison en avalant des lampées de bière, celui qui tirait tant de ficelles à Longueuil-Est. Drôle d'idylle. Amours irréalisables d'une jeune fille choyée avec un journaleux de province que son tuteur avait le pouvoir de réduire à néant en le congédiant. Mais que savait-elle au juste ? Pourquoi cet amour ne pourrait-il pas être viable, après tout ? Que pouvait bien me reprocher Robidas, lui qui me considérait en quelque sorte comme une sorte de grand fils ? Qui était-il pour m'empêcher de parler à sa nièce ? Je me laissai choir dans mon fauteuil et, au risque de perdre mon emploi, pris la ferme résolution de tirer tout cela au clair avec lui.

Soudain, la porte du bas se rouvrit et j'entendis les pas lourds de Butch Dulac. Il arrivait du sous-sol de la maison du patron, voisine de l'édifice qui abritait le journal. Il m'agressa sans préambule.

— Mademoiselle Robidas vient de sorti d'ici, commença-t-il d'un ton affirmatif.

— Oui, et alors ?

— Je pensais t'avoir dit que…

— Bon, ça va. Nous n'avons rien fait de mal. Seulement parlé de musique. À ce que je sache, nous ne sommes ni au Yémen ni en Calabre, ni en Corse. Dans la province de Québec, P.Q., *Pi Kiou*, on peut encore parler aux jeunes femmes sans qu'elles se trouvent compromises. Elle peuvent même sortir sans chaperon…

— Mon *tabarnaque*, essaie pas de sortir avec Suzal Robidas ou ben…

— Pardon? J'ai pas très bien compris… Écoute, Butch. Ça fait plusieurs mois que nous travaillons ensemble. Tu devrais me connaître maintenant, du moins je l'espère. Tu m'as donné de bons conseils à la barbotte, mais il y a quelque chose que je ne tolèrerai jamais : c'est de recevoir des menaces pour des raisons futiles et parfaitement personnelles. Mademoiselle Robidas a vu de la lumière, elle est montée et nous avons conversé pendant quelques minutes. C'est tout. Des objections?

— C'est ce que tu dis, mais je te donne un bon conseil : si tu veux qu'on reste *chums*, ne fais plus jamais ça…

— Alors s'il faut que je me cache pour parler à Suzal, j'irai demain demander sa main à Théo, dis-je en plaisantant.

Butch Dulac bouillait.

— Si tu t'avisais de faire une folie de même, je te ferais casser les jambes. Je n'aurais pas le choix, mon p'tit *câlisse*, dit-il d'un air sombre.

Il avait pris son air de Cubain patibulaire, d'homme de main impitoyable. Je savais qu'il était capable de mettre ses menaces à exécution. Peut-être avais-je poussé un peu trop loin la plaisanterie.

— *Criss!* pour la dernière fois tu m'écoutes, reprit-il. Je ne te le répèterai pas. Théo m'a chargé de tenir tous les hommes – et j'ai dis tous – loin de sa nièce. C'est comme une sorte de contrat que j'ai passé avec lui; tout comme tu as passé un contrat pour ta *job*. Si je t'interdis de flirter avec Suzal, sois certain que ça n'a rien de personnel. Par exemple, si tu n'obéis pas, je ne serai pas responsable des conséquences. Ricky… T'es un bon gars. Ne prends pas mes paroles à la légère. Je ne voudrais pas qu'il t'arrive malheur. Je t'ai vu l'autre soir avec l'importée du Liban ou je ne sais trop de quel pays d'Arabes… Ça, c'est du beau stock et si j'avais pas déjà ma blonde, sois certain que je m'essaierais. Ça me fait plaisir de te voir t'amuser avec de belles poupounes de même, mais Suzal Robidas… Han, Han… En tout cas, comme le dit l'Indien, un mot à l'homme sage est suffisant…

Décidément, Butch avait dû entendre cette expression de la bouche d'un anglophone, car elle sentait la traduction littérale – *A word to the wise is sufficient*... Une chose était certaine, je me heurtais à un mur. Garde du corps de la famille Robidas, il habitait une chambre dans le soubassement de la vaste maison de son maître. Il se montrait peu en public. Pedneault m'avait raconté qu'il avait déjà liquidé un homme pour une histoire de dettes dues au milieu, en avait tué un autre alors qu'il conduisait en état d'ivresse et qu'on le soupçonnait d'avoir trempé dans une troisième histoire de meurtre. Il ne devait sa liberté qu'aux talents d'un célèbre criminaliste montréalais, rémunéré à longueur d'année par Théo Robidas.

D'un autre côté, l'intérêt que me portait Suzal Robidas me plongeait dans un état second. Pour la première fois, elle apportait dans ma vie ce que les plus romantiques de mes amis appelaient de l'amour. Ce n'était pas seulement de l'attirance physique. J'aurais passé une éternité auprès d'elle à l'écouter jouer du Couperain ou du Bach au lieu de me perdre dans des ébats aux issues peu originales dans ma voiture. Le reste pouvait attendre. Seulement voilà, il y avait les autres, et je ne pouvais prendre le risque de me mettre à dos le clan Robidas.

J'eus l'idée d'exposer ma situation à Théo, mais sur quelles bases ? Certainement pas sur celles d'un baiser furtif et d'un avertissement inquiétant donnés dans un couloir sombre. Il aurait fallu que je connaisse mieux l'objet de mes sentiments tout neufs. Et cela m'était interdit.

— As-tu compris, maudite *marde* ? insista Dulac.

Revenu sur terre, je fis un signe de tête évasif.

— OK, reprit-il. Au fait, tu devrais te changer les idées. Demain, viens donc jouer une partie de barbotte. C'est notre jour de chance. Je le sens.

Après avoir fait une queue interminable à la Commission des liqueurs, car la période des Fêtes approchait ; après avoir fait face à d'agressifs policiers provinciaux qui surveillaient les caisses débordantes des tristes magasins monopolistes de la Province ; enfin, après avoir discuté avec un préposé à l'air abruti et lui avoir assuré que j'étais majeur, j'obtins le droit d'acheter un 40 onces de Cutty Sark.

Accompagné par Butch, je commençai à en prendre de généreuses rasades dans ma voiture. J'avais le vague espoir de pouvoir discuter avec lui et, peut-être, de lui

LA CITÉ DE LA MISÈRE

faire comprendre mon point de vue. En bon rustre, il ne m'en laissa pas le choix.

Une fois arrivés à la barbotte, je constatai que presque tous les habitués étaient là, mais pas ceux que je préférais, comme mon officier anglais. De l'autre côté de la table, je retrouvai l'Italien à gueule de liquidateur du Syndicat du crime et le gros poilu, celui qui devait se fourrer des boules de papier dans le caleçon pour faire valoir ses prétentions et que j'appelais mentalement le «Gros Dégueulasse». Étant donné le temps qu'il faisait, il avait troqué son douteux pantalon moulant pour des jeans trop ajustés et son maillot de corps à résilles pour un T-shirt sur lequel trônait une pin-up criarde aux charmes débordants sur fond de palmiers d'un vert fluorescent.

Ce soir-là, le jeu fut serré et je me mis à perdre régulièrement à la table des mises de 25 dollars. C'était comme si les portes de l'enfer s'ouvraient soudainement en laissant une foule de démons hurlants s'égayer aux quatre vents. Des démons qui avaient la mine des fiers-à-bras de la petite pègre locale. J'avais voulu flirter avec les interdits. Malheureusement, ce genre de vie n'était pas faite pour moi et j'en acquittais la facture à cet instant précis. Je n'aurais pas aimé me regarder dans un miroir pendant ces pénibles instants. La chance semblait m'abandonner.

J'encaissais vaillamment chaque coup du sort en me disant que tout pouvait revenir comme avant, mais en moins d'une heure j'avais perdu plus de 1 500 dollars au profit de mes partenaires de l'autre côté de la table. En passant, le Gros Dégueulasse crut bon de me regarder d'un air triomphant et de me saisir les parties. Sans même réfléchir, je lui lançai un revers de bras ; il reçut ma main dans la figure et recula de deux pas.

— Ah ! Ben, *câlisse* ! Jv'as t'*déwrencher* comme du monde, mon saint-ciboire de p'tit *criss* de pas bon, annonça-t-il d'une voix éraillée, pâle comme un linge.

Les gens firent le vide autour de nous. Je me trouvais dans de beaux draps. L'individu devait bien faire cent vingt livres de plus que moi et, quoiqu'en forme, j'étais loin d'être un bagarreur de rue. Ce n'étaient pas quelques cours oubliés de boxe et de *self-defence* au YMCA qui allaient me tirer des pattes de ce gorille puant, obsédé par ses testicules et celles de ses voisins. Je décidai en une fraction de seconde d'oublier toute règle et de m'attaquer à son point faible avant qu'il n'amorce un premier mouvement : c'est-à-dire son entrejambe bourrée de mouchoirs en papier. Il fallait que je frappe vite et fort pour sauver ma peau.

Je n'eus pas le temps de passer à l'attaque. Butch s'était interposé et donnait des coups d'index accusateurs dans la bedaine de l'épais personnage.

— Ferme ça. C'est bien fait pour ta maudite gueule, dit Dulac. J'tai vu… T'avais pas à *pogner* les *gosses* de mon *chum*. Ce gars-là, c'est un monsieur, lui. Pas un gros écœurant de chien sale dans ton genre. Y travaille pour Théo, comme moi. T'avise pas d'y toucher, *viarge*, ou t'es mort…

L'individu blêmit, me lança un regard hargneux et balbutia quelque chose à propos de l'argent que je devais.

— Faut-il te répéter que c'est un monsieur ? Y va me faire un chèque et je couvrirai les pertes. Des commentaires ? C'est fini ? *Over ! Fuck off !*

En un instant, celui qui m'avait menacé la veille venait de se transformer en une sorte de sauveteur et de banquier. Pour les habitués des pénitenciers et les aventuriers qui avaient joué contre moi, ma signature ne valait rien sans la sienne. L'humiliation était de taille. Dehors, la première neige de l'année tourbillonnait en tombant sur le sol gelé. L'hiver arrivait dans le désert de la ville-dépotoir et dans celui de mon âme.

Je me remis vaillamment au travail, mais la magie n'opérait plus. La situation économique de la ville, qui ne s'était pas améliorée d'une once, avait forcé les commerçants à réduire leur budget publicitaire. Autosatisfait, Lucien Gore continuait à jouer au politicien. Il se laissait porter par les événements et n'innovait jamais. Il prenait directement ses ordres de Robidas et de Harwood-Martin et distribuait volontiers de grands saluts à la romaine, comme un Mussolini de théâtre. Je sentais confusément que ses jours étaient comptés, qu'il avait été placé là, en fait, pour servir un autre dessein.

Avec l'arrivée de l'hiver, les travaux de voirie s'étaient arrêtés pour de bon. Des ombres faméliques parcouraient les rues mal éclairées de la ville. Les grands tas de terre gelée et de matériaux de construction, les machines au repos, formaient avec la neige des amoncellements spectraux. La cité dont j'avais rêvé, celle qui sortirait de terre comme dans les films américains, avec ses pionniers aux vêtements râpés, au visage marqué, rayonnant de dignité et d'espoir, ou encore avec la populace se dirigeant vers des lendemains glorieux, dans des postures nobles dignes des peintures dont la propagande soviétique inondait le monde, faisait peu à peu place à des silhouettes pathétiques, mal nourries, analphabètes comme mon voleur de dalles. Un pessimisme grandissant prenait le pas sur mon idéalisme.

Une grisaille digne des pays du Rideau de fer avait envahi la municipalité, à cette différence près que, contrairement aux pays de l'Est, l'argent qui aurait pu servir au développement des infrastructures de la communauté existait. Les sommes accordées, à regret, par les deux paliers de gouvernement étaient soit mal gérées, soit canalisées vers d'habiles profiteurs qui saisissaient l'opportunité en hurlant à l'incompétence, exigeaient qu'on leur accorde des réajustements tout en laissant les travaux s'éterniser. Des travaux pris en otage. Ils ne se poursuivaient pas si les gouvernements ne déboursaient pas davantage. À voir le rythme auquel les chantiers avançaient, nul besoin était de jouer aux experts en génie civil pour deviner que, pendant au moins dix ans, la population devrait se résigner à patauger dans la fange. Le doute m'envahissait de plus en plus.

Au fil de mes reportages, je découvris, notamment, qu'on avait installé trois prises d'eau ou «bornes-fontaines» à l'intérieur de plusieurs habitations. Leurs propriétaires avaient eu la mauvaise idée de ne pas consulter l'hôtel de ville ou de payer un arpenteur lorsqu'ils avaient implanté leurs demeures et les autorités municipales n'avaient cure de ces entorses au règlement. À présent, ces taudis, souvent sans fondations, faits de bois provenant d'anciens wagons de chemin de fer démontés, se trouvaient trop près de la rue et empiétaient sur l'espace théoriquement réservé aux trottoirs. L'imbécillité des employés de la voirie, qui s'étaient contentés d'appliquer le règlement à la lettre, avait fait le reste. Ils avaient tour à tour installé ces encombrantes bouches d'incendie dans une cuisine, un couloir et un espace que ses occupants appelaient « salon ».

À la mairie, les protestations des habitants ne firent aucune différence. On se contenta de leur recommander de payer un déménageur de maisons afin de se mettre en règle. L'un des propriétaires obtempéra en s'endettant à des tarifs usuraires pour au moins dix ans, parce que son terrain était suffisamment grand et qu'il avait la chance de travailler. Les deux autres, de pauvres ouvriers qui avaient investi leurs derniers sous dans cette entreprise, ne pouvaient reculer leur cabane sans déborder sur les terrains des voisins et se trouvaient dans l'impossibilité de poursuivre les escrocs qui leur avaient vendu leur triste propriété, car ils avaient depuis longtemps disparu en Floride ou ailleurs. Un jour, ces propriétaires malchanceux s'évanouirent mystérieusement dans la nature après que des employés municipaux eurent donné, en guise d'avertissements, des coups de pelle mécanique dans leurs minces murs de planches de récupération et de papier goudronné.

À l'hôtel de ville que, dans mon esprit, je transformai en «bordel de vils», on rationalisa la situation en blâmant ces erreurs sur un temps révolu, suffisamment vague pour que personne ne se trouve impliqué. «Oublions le passé et tendons-nous résolument vers l'avenir…», avaient répété les fonctionnaires municipaux aux pauvres expropriés, slogan imbécile de tous ceux qui, feignant d'oublier les erreurs du passé, les perpétuent *ad nauseam* avec la satisfaction des bavards sûrs de leurs bons droits. Aux yeux des employés de la Ville, ces semi-squatters venaient d'anciennes terres de colonisation en Abitibi ou encore de la Côte-Nord, de vastes espaces où les agglomérations avaient le plus souvent poussé au gré des caprices des colons et où l'arpentage était trop abstrait. Pourquoi fallait-il donc se fendre en quatre pour de tels minables?

Je commençais à comprendre Valmy Lapierre. Si j'avais été à la place de ces dépossédés, je ne sais ce que j'aurais répondu aux fonctionnaires donneurs de bons conseils.

J'en touchai un mot à Théo qui me signala qu'il s'agissait là de cas isolés, que Gore verrait à la disparition de telles injustices. Et ces tas de déblais gelés, ces chantiers à l'abandon?

— Ça reprendra, ça reprendra, me répondit Théo, lorsque Québec débloquera des fonds… Nous ne sommes pas une ville riche… Faut leur donner le temps. Prends donc un break. Les histoires de chantiers publics et de routes, c'est vraiment pas de tes affaires. Occupe-toi plutôt des belles filles, comme la Libanaise de l'autre jour. Laisse tomber la politique et vends des annonces. Je t'avais prévenu. Ici, on a l'esprit positif. On parle des choses positives. On ne brasse pas la *marde*. Si t'es pas capable de faire ton journal comme du monde, je le prendrai en tutelle parce que je trouve que tu fourres un peu trop ton nez dans des secteurs qui n'ont rien à voir avec la saine gestion de nos affaires…

Une neige sèche tombait sur le morne paysage que je découvrais de la fenêtre de mon bureau. Le bulldozer d'en face écrasait ses ordures ménagères et polluait l'atmosphère avec son moteur usé qui brûlait l'huile à vitesse accélérée. Je décodais plusieurs messages dans la réprimande de Théo Robidas. Dulac lui avait-il touché un mot à propos de Suzal? Une chose était certaine: ce n'était pas le moment de parler sentiments avec le patron, qui s'était refermé sur lui-même.

Sentant que mes efforts étaient vains et que mon avenir au journal paraissait sérieusement compromis, je me terrai dans mon bureau. À tout hasard, je jetai un regard au poème de Valmy Lapierre, qui commençait ainsi:

Ceux qui punchent, ceux qui boîtalunchent
Ceux qui Angusshoppent, ceux qui Essoimpérialent
Ceux qui Ci-aï-ellent, ceux qui Aï-ai-cient
Ceux qui bonnent compagnient canadiennes-françaises
Et catholiquent par surcroît
Ceux qui fonctionnent au Gouvernement
Ceux qui compagnient de brocha-foins
Ceux qui j'ai pas sincenne pou'majter La Presse
Ceux qui cherchent de l'ouvrage
Ceux qui n'en trouvent pas
Ceux qui sont sul' Aide sociale
Et qui sont pognés ben dur
Un jour, peut-être, y prendront conscience
De leur importance
Et alors? Et alors quoi?

S'ils ne sont pas des moutons
Les choses changeront
Voilà un beau conte pour enfants
Qu'ils pourraient bien réaliser
Réaliser, oui mais quand?
Peut-être un jour, s'ils deviennent grands

Puis ça continuait, avec la liste d'une cinquantaine de grandes sociétés, de distingués personnages de la haute finance, et l'exposition de situations aberrantes dénoncées en termes révolutionnaires, dans l'esprit que je ne connaissais que trop bien. Je fus ravi par le souffle avant-gardiste qui s'exhalait de cette œuvre, qui n'était pas sans rappeler Jacques Prévert. Je décidai donc d'encourager ce poète local, même si j'étais persuadé que notre clientèle ne lirait pas ce texte.

La réaction la plus inattendue fut celle de Jean-Guy Pedneault, dont je n'avais pas entendu parler depuis longtemps. Je le rencontrai dans un café à Longueuil où il me confia l'admiration qu'il avait pour le style de Lapierre. Il semblait s'être calmé et jouait moins au conspirateur. Pour vivre, il avait lancé une idée de concours, «La Marche priante de la Rive-Sud», un événement censé financer des œuvres de charité, où l'on pouvait miser sur une poignée de concurrents, marathoniens de la prière ambulante, rassemblés en faisant le tour des palestres et gymnases paroissiaux. Les joueurs chanceux, financiers de cette œuvre de charité improvisée, pouvaient gagner une Chevrolet Belair de l'année, un voyage à Acapulco ainsi qu'une fin de semaine dans un hôtel réputé des Laurentides.

L'idée du concours s'annonçait lucrative. Personne ne vérifiait le nombre de billets vendus. Quant au tirage des prix, on devinait qu'il y avait toujours moyen de le justifier en le truquant pour faire gagner parents ou amis, ou en leur revendant la marchandise ou les services au prix coûtant, ce qui se révélerait, pour eux comme pour les organisateurs, une excellente affaire.

— Voilà le genre de racket que tu devrais annoncer dans ton journal, me suggéra Pedneault. Une belle campagne d'abonnement avec voiture à la clef…

— C'est peut-être une bonne idée, à condition que la voiture soit gagnée par un véritable abonné, rétorquai-je.

— Voyons, voyons, M. le rédacteur. Qui a dit que nos joueurs ne gagnaient pas ? Me ferais-tu un procès d'intentions ? me répondit-il en me lançant un regard oblique.

La conversation dévia sur l'agression dont Dan avait été l'objet. Tout en compatissant aux malheurs du petit imprimeur, je me gardai d'émettre la moindre opinion sur l'origine des coupables et demeurai d'autant plus évasif que j'étais involontairement responsable de cette agression.

— Peut-être des *gars de bicycles*, des blousons noirs hostiles aux homosexuels, des voyous quelconques, hasardai-je.

— J'ai plutôt idée qu'on a essayé de m'atteindre à travers Dan. J'ai quelques ennemis, tu sais.

Il ne savait pas si bien dire.

Le Conseil de ville adjugea plusieurs contrats pour la construction d'une nouvelle usine de filtration. Astonghiglia et Petrini héritèrent du bâtiment principal et DuGermain de la prise d'eau brute. Habilement, Théo était intervenu pour tenter de récupérer ce vieux fasciste que je m'étais mis à dos pour avoir insisté pour parler français avec lui. Peut-être qu'une prochaine fois, il se remettrait à contribuer à la caisse de l'Union nationale et, qui sait, prendrait des annonces dans notre hebdo. Bref, Théo ménageait l'avenir. Des municipalités avoisinantes devaient profiter de ces installations et c'était déjà ça de pris.

La rentrée scolaire promettait d'être tout aussi lamentable que les précédentes. Certains bâtiments n'étaient pas raccordés aux services d'égouts et d'eau courante, la propreté laissait à désirer, les salles de toilettes étaient dénuées de fenêtres, bref, des locaux insalubres. Près de 140 classes étaient installées dans des sous-sols d'églises. Acclamons Rome! Également dans des commerces reconvertis en locaux scolaires et même dans des maisons privées. À Québec, Duplessis, notre suprême Guide provincial, affirmait que nous avions le meilleur système d'éducation au monde. Un émigrant d'origine allemande, dont les enfants fréquentaient ces écoles, me signala qu'elles lui rappelaient celles qui existaient dans sa ville à la suite des bombardements alliés de 1945. Deux vieilles écoles de rang furent déclarées «surplus». Elles dataient du siècle dernier, au temps des classes uniques où se retrouvaient les élèves, de la première à la septième année. Elles étaient folkloriques mais totalement inadaptées aux brillants lendemains escomptés par l'administration municipale.

C'est alors qu'éclata un scandale à la suite de la construction projetée de deux nouvelles écoles. On présenta les soumissions. Elles étaient supérieures à 600 000 dollars chacune. On s'empressa de les soumettre au département de l'Instruction publique à Québec avec l'appui du député Harwood-Martin. Après tout, les soumissionnaires étaient ses amis. Des fonctionnaires intègres demandaient une révision des devis descriptifs. Les entrepreneurs retournèrent à leur planche à dessin et rognèrent sur les coûts en rabaissant la facture de 75 000 dollars dans chaque cas. Le département de l'Instruction publique semblait satisfait, mais Adélard Laprairie, un conseiller, membre de *La Gamique* et grand ami de Jean-Edgar Dugré, continua à vitupérer contre ses semblables au nom de la salubrité des finances de la Ville et refusa une fois de plus les soumissions. Il n'avait pas tort : il y avait quelque chose de louche dans tout cela. Un bon article en vue pour contribuer à l'assainissement de ma ville…

J'en fis part à notre secrétaire qui, bien plus pour le plaisir de potiner que par malice, en toucha un mot à notre entourage. Furibond, Théo fit irruption dans mon bureau. Sa lèvre supérieure tremblait, ses poings se serrèrent, puis il devint livide. Je craignais un instant pour ma santé. Quelle mouche l'avait piqué ?

— Ça commence à bien faire, Ricky. Il me semble t'avoir déjà dit que les affaires de construction, fallait pas y toucher… Comme ça tu veux faire arrêter les travaux, maudit *cocombre* de cave? Tu veux que les petits enfants continuent à geler dans les sous-sols d'église mal chauffés? Tu veux calomnier nos conseillers les plus valeureux et notre bon maire? Je ne te laisserai pas gribouiller n'importe quoi…

— J'ai entendu dire que Dugré allait faire les manchettes du *Héraut* avec cette nouvelle. Nous ne pouvons pas êtres *scoopés* de cette façon…

— J'en ai rien à *crisser* de tes susceptibilités de journaleux de bécosse. Si tu parles de tout ça, ça ira très mal. Écoute, tu crois que Dugré est sincère? C'est un maudit libéral qui se fait du capital politique en espérant que le vent change à Québec. Il est appuyé par *La Gamique*, son *ciboire* d'Ordre de La Galissonnière, et aussi par Laprairie, un *rongeux de balustre*, un *câlisse* d'hypocrite, un *sent-la-marde* qui nous en veut à mort. Harwood-Martin pousse à la roue et nous les aurons, ces écoles. Ces soumissions sont honnêtes, mais tout le monde doit y trouver son compte.

— C'est tout de même bizarre de voir que les soumissions ont été révisées à la baisse de près de 150 000 dollars, hasardai-je.

203

— Faut bien gagner sa vie. Qui es-tu pour juger?
Business is business. De toute façon, y en aura pas
d'article! T'es prévenu. Sinon, tu peux aller travailler
pour ce *mangeux* de cornets de Dugré… Il paraît qu'il
aime les jeunes… Bonne chance… Et puis, pense à
nos enfants, nos pauvres petits écoliers, conclut-il les
yeux pleins d'eau.

Je fis une pause, soumis à ses arguments. Cet homme
dont la nièce suivait des cours de musique dans l'un des
meilleurs collèges, souvent accompagnée par un chauf-
feur à la carrure imposante, semblait se soucier jusqu'à
en verser des pleurs du sort des enfants misérables
des citadins, piétinant dans la gadoue sans rien dans
le ventre, dûment préparés à attendre de toute façon
la délicieuse tarte que les bons anges leur préparaient
au ciel. Les Américains de la Grande Dépression en
parlaient déjà: *We'll have our pie in the Sky,* chantaient-
ils. Étions-nous si différents? «Recherchez d'abord le
Royaume des Cieux et tout le reste vous sera donné de
surcroît», répétait-on à nos élèves, crottés comme bien
lavés. D'un côté, la ruse de nos fonctionnaires, de l'autre
les manœuvres bien-pensantes de Dugré, aux objectifs
indéfinis mais certainement peu sincères. Le rédacteur en chef du *Héraut* n'était pas l'abbé Pierre, dont
l'influence commençait à se faire sentir au Québec,
même si nos prélats faisaient remarquer que ce n'était

pas un petit abbé étranger qui avait à leur donner des leçons. Dugré voulait apparemment abattre la grasse caste duplessiste, qui avait fait tomber un couvercle de plomb sur la province avec la complicité d'un certain clergé complice. À la lueur de quelques événements, et peut-être sous l'influence de Valmy Lapierre, je commençais à me poser des questions.

Tiraillé entre la fidélité que je devais à mon employeur et un Dugré aux relations ambiguës et secrètes, se disant défenseur des citoyens, un journaliste me rappelant plutôt les conspirateurs de la cour élisabéthaine d'Angleterre ou celle des Médicis, je n'osais me brancher, attendant que les événements éclaircissent d'eux-mêmes la situation. De toute façon, je commençais à en avoir assez du climat qui régnait dans cette ville qui n'allait nulle part, où les politiciens ne cessaient de parler progrès sans rien faire, à force d'effets de chapeaux Homburg et de discours émouvants prononcés dans les divers clubs sociaux à l'occasion de repas trop arrosés. Je ne pouvais m'exprimer et ne faisais que pondre des articles insipides sur les matchs de hockey locaux, les bonnes œuvres et les bénédictions d'églises. Le curé d'une de ces dernières, logée dans un poulailler, parvint à en construire une en demandant notamment aux enfants de payer les briques qui devaient la composer. À raison de cinq sous la brique, rognés sur leurs économies ou collectés en ville, les élèves du catéchisme et de l'école paroissiale avaient réussi à amasser une somme substantielle au bout de quatre ans. J'écrivais à cette occasion que le curé Cyprien Lamarche avait réussi à édifier un nouveau rempart de la foi à coups de cinq *cennes* recueillis par de petits anges et il m'en fut reconnaissant. C'était certainement un saint homme qui croyait en ce qu'il faisait et il déplorait tout ce qui pouvait se passer dans la ville.

Comme de raison, le scandale des écoles passa inaperçu dans ma feuille tandis que *Le Héraut* la dénonçait ainsi que la collusion du député Harwood-Martin avec les entrepreneurs. Le journal titrait :

UN SCANDALE ! LES COMMISSAIRES FORCÉS DE SE SOUMETTRE AUX DÉSIRS DU DÉPUTÉ PROVINCIAL ET D'APPROUVER LE CHOIX DES ENTREPRENEURS AINSI QUE LEURS SOUMISSIONS LARGEMENT SURÉVALUÉES !

Il expliquait ensuite que la commission scolaire était inféodée au «patronage» ou au favoritisme politique. La semaine suivante, Dugré récidivait :

LE DÉPUTÉ HARWOOD-MARTIN SE PRÉSENTE PERSONNELLEMENT CHEZ UN COMMISSAIRE POUR LUI FAIRE

ACCEPTER LA SOUMISSION, MAIS LE VALEUREUX FONCTION-
NAIRE Adélard Laprairie refuse de se plier à ces
COMBINES DOUTEUSES.

Le rédacteur en chef du *Héraut* laissait ensuite courir
sa plume offensée à la manière d'un ancien militant,
faisant remarquer qu'il y avait déjà du jeu dans les devis
et que ceux-ci pourraient probablement être encore
révisés à la baisse. «À Pont-Viau, une banlieue de l'île
Jésus, la construction d'une classe ne dépasse guère les
13 000 dollars – le prix d'un bungalow confortable,
écrivait-il. Alors pourquoi atteint-il de 20 000 dollars à
23 000 dollars dans notre ville sans foi ni loi? En s'oppo-
sant aux profiteurs de notre administration, on pourrait
économiser de 7 000 dollars à 10 000 dollars par classe.
Pour un total de 140 classes, cela pourrait représenter
une économie de 980 000 dollars à 1 400 000 dollars.» Il
conclut de manière radicale: «Il faut exciser la gangrène
de cette administration municipale! Et s'il faut que je
sois le Torquemada de cette campagne, j'extirperai
l'hérésie de l'administration publique de Longueuil-
Est!» Sa référence au grand inquisiteur espagnol n'était
pas sans déplaire aux dévots. L'hypocrite de service se
muait en prédateur justicier.

Exception faite de la croisade militante de Dugré, il
n'y avait rien à redire de ce journalisme de combat,

même non désintéressé. Laprairie proposait de monter directement à Québec et de demander des soumissions révisées à un maximum d'entrepreneurs. En qualité de membre de *La Gamique*, il avait ses entrées au département de l'Instruction publique, qui était infiltré par les gens de l'Ordre. Harwood-Martin commençait à éprouver des difficultés avec les interventions du *Héraut* et de la société secrète. Grâce à notre politique soi-disant non-interventionniste, notre journal avait donc de plus en plus l'air d'un piédestal du clan Robidas et de l'Union nationale, et je m'aperçus que les espoirs que j'avais fondés n'étaient probablement qu'illusoires. L'artificieux maire Lucien Gore, propriétaire d'une entreprise de ferraille, interdit au public de s'interposer dans les débats hors des périodes qui lui étaient consacrées. Il aimait l'ordre et prenait son rôle très au sérieux, voire de manière dictatoriale.

Théo en profita pour obtenir un permis de grill-room, le deuxième sur la Rive-Sud. «Le Pirate», car c'était son nom, pouvait vendre de la bière et d'autres boissons alcoolisées, une petite fortune assurée. Situé près du restaurant chinois de Lee Waï, Le Pirate devint le centre de la vie sociale du monde plus ou moins trouble de la ville. Les hommes de main du député Harwood-Marin s'y tenaient ainsi que les lieutenants de Théo et l'inévitable «Farouk» Dulac, en rupture de sa Smoke Valley de Saint-Henri, toujours prêt à organiser des élections. Au fond de l'établissement, une vaste fresque inspirée d'une affiche d'un classique du cinéma, *Capitaine Blood*, avec Errol Flynn, montrait un flibustier, un sabre dans chaque main, soutenant de ses bras une Olivia de Havilland apparemment fort émue. Pour compléter cette atmosphère d'île au trésor, l'endroit comportait de nombreux palmiers en plastique ramasse-poussière dont certains étaient décorés de petits singes en peluche. Le Pirate était à peine ouvert que déjà une lourde odeur de fond de tonne et de cigare refroidi flottait en ces lieux. On y présentait des *shows western*, dans lesquels s'époumonaient des cow-boys et des cow-girls des Cantons-de-l'Est insistant pour chanter en français les charmes des Prairies en imitant l'accent nasillard des interprètes américains de musique country. Malgré ses mérites, le folklore de nos voisins du Sud et des Prairies canadiennes y perdait beaucoup.

Chapitre 10

«C'est nous qui sommes les plus forts, nous avons voté Lucien Gore!» Une voix avinée hurlait cette rengaine à dix heures du soir sur la Côte-Blood, dont on avait modifié le nom inquiétant pour celui de «boulevard Sainte-Mère», au grand regret des nostalgiques. Il n'y avait guère que ce quidam pour chanter ce maire illusoire et trouver que tout était pour le mieux dans le meilleur des mondes, même si Gore ne semblait pas être à la botte de Théo, comme le vieux Descarreaux, un paysan inculte parfaitement soumis au patron qui l'utilisait comme une marion-nette. À Québec, Duplessis se portait bien puisqu'il avait décrété son propre impôt sur le revenu des parti-culiers – 10 pour cent de l'impôt fédéral – déductible de ce dernier. Il se préparait à se faire réélire avec le slogan «Laissons Duplessis continuer son œuvre». Le «Cheuf», qui n'avait pas dit son dernier mot, affir-mait être toujours marié avec sa province, ce qui faisait dire à ses adversaires: «Depuis le temps qu'il la fourre, il serait peut-être temps qu'il l'épouse!»

On avait beau vitupérer contre ses nouveaux rapports d'impôts calqués sur ceux du gouvernement fédéral, les anglophones les plus rétrogrades avaient beau insulter le drapeau fleurdelisé, adopté en 1948, en le surnommant « The bloody Duplessis flag », l'autocrate du Québec profitait toujours d'une carte électorale favorable pour régner. En effet, des comtés ruraux peu peuplés comptaient autant que ceux des grandes villes, plus peuplées mais moins enclines à voter Union nationale. Le député Harwood-Martin se trouvait toutefois en perte de vitesse : le scandale des écoles lui avait causé du tort. L'usine de filtration fonctionnait et desservait convenablement la région, mais les rues étaient toujours aussi bourbeuses.

La publicité diminuait dans le journal, qui avait servi de piédestal à Gore et à Harwood-Martin. J'en pris conscience tardivement. Théo, disait-on, voulait s'en servir à son propre usage, car il lorgnait l'hôtel de ville et préparait ses organisateurs d'élection, des êtres massifs que l'on craignait les jours de consultation populaire. Telle était la raison profonde de la création de ma feuille de chou. Mais cela en valait-il vraiment la peine pour lui ? La magie semblait avoir disparu. Personne ne semblait plus se soucier du *Phénix*, dont le nombre de pages avait diminué dangereusement au point de ne plus couvrir ses frais d'impression. Heureusement, il me restait un contrat de travail qui me permettrait de subsister encore quelques mois.

Pendant ce temps, Jean-Edgar Dugré sortit la grande artillerie du *Héraut*. Il réclamait un nouveau mode d'élection à Longueuil-Est, une prolongation de l'administration actuelle et ralliait la Guilde des propriétaires, truffée de membres de *La Gamique*, et quatre échevins à sa cause. Le but était évidemment d'empêcher Théo de se présenter.

Je demandai à ce dernier ce qu'il fallait faire. Sa réponse fut laconique :

— Que le diable les berce ! On ne répond rien dans le *Phœnix*. J'vas leur organiser l'cadran !

Cette expression, traduite littéralement de l'anglais *I'll fix their clock*, signifiait qu'il réservait à ces échevins un chien de sa chienne. Aussi, je ne fus guère étonné lorsqu'en pleine nuit les vitres des maisons des quatre notables en question subirent une grêle de pierres par de lourds personnages au front bas et aux yeux rapprochés que certains avaient reconnus comme étant des organisateurs d'élection. On se garda toutefois de citer des noms par peur de représailles. Ces dommages traumatisèrent les propriétaires des maisons. La femme de l'un d'entre eux, enceinte, fit une fausse couche. L'un des échevins démissionna.

Et puis il y avait le nouveau chef de police, engagé avant la nomination du maire Gore, qui dépensait trop d'argent au goût de certains et découvrait dans son personnel des agents détenteurs de «records», de casiers judiciaires à la virginité douteuse. Il ne se fit pas d'amis, d'autant plus qu'il portait un nom étranger: Stavros Simonis. De vieux réflexes xénophobes se manifestèrent. On le surnomma évidemment «Syphilis» ou «Simoniaque». Il reçut des lettres anonymes. On le menaça de faire sauter sa voiture. Aussi fit-il installer un coûteux système d'alarme dans son garage et utilisa-t-il tous les soirs un miroir dans le stationnement de la police pour inspecter le dessous de son véhicule. Un chef de police menacé? Un comble du complot! Après avoir découvert une petite bombe artisanale raccordée à son démarreur, Simonis, découragé, donna sa démission et alla faire valoir ses talents dans une autre ville, où il entreprit d'ailleurs une belle carrière.

Les mois passèrent. J'avais l'impression de tourner à vide. Un vendredi soir, Suzal Robidas qui, en dépit des menaces de Butch Dulac, était souvent venue me retrouver au bureau le soir sans se faire remarquer, fut porteuse d'un avertissement.

— Je te conseille de donner ta démission au plus vite, me dit-elle.

— Et pourquoi donc ?

— Il y a des choses qui se brassent. Je ne sais pas exactement quoi, mais rien de bon pour toi… J'espère qu'une fois de plus je n'ai pas été vue… De toute façon, mon oncle me met en pension au collège des sœurs des Saints-Stigmates à Outremont à partir de la semaine prochaine. Peut-être pourrons-nous nous voir dans de meilleures conditions lors de mes sorties ?

Imperceptiblement, nous nous surprimes à nous tutoyer, comme de vieux amis, voire des amants, alors que nous nous étions simplement donné quelques chastes baisers dans la pénombre du couloir de mon bureau. Elle se plaqua contre moi. Je fondis littéralement.

— J'espère te voir plus souvent à Montréal, mais les couventines sont très surveillées… Pourquoi cette claustration ? lui dis-je.

— Théo pense que l'atmosphère de Longueuil-Est et mes fréquentations ne sont pas bonnes pour une demoiselle…

— Il y a du vrai là-dedans, mais tu vis pourtant dans une sorte d'isolation et ne te mêles pas à la foule…

— Il veut simplement me protéger tout comme il protège son jeune fils, Damien.

— C'est tout à son honneur.

Je me demandai si je n'étais pas un peu pour quelque chose dans cette décision. Théo m'aimait bien – ou du moins le disait-il –, mais voir sa nièce fréquenter un « cassé » ? Plus les nouveaux riches sont d'origines modestes, plus ils prétendent caser leur parenté dans les cercles dits des élites traditionnelles. Mais n'étais-je pas prétentieux en me donnant tant d'importance ? L'ancien détenu et manipulateur de foules voulait une meilleure vie que la sienne pour ses parents, quitte à les isoler du « monde ordinaire ». Comment lui en vouloir ? Mon petit monde sentimental encaissait un coup dur. Que se préparait-il, au juste ?

— Je dois filer, Éric, me dit Suzal.

Je lui rappelai alors les histoires que Dulac me faisait parce que j'avais osé lui parler.

— Je sais. Voilà pourquoi il serait peut-être plus sage de nous revoir à Montréal, loin de tous ces gens.

216

Elle s'esquiva après avoir noté mon numéro de téléphone personnel.

Des élections provinciales se préparaient. Dur coup pour Théo qui tenait des assemblées avec ses conseillers spéciaux, les frères Dulac. Harwood-Martin, candidat duplessiste, se fit déloger avec fracas par un libéral. Pas très bon tout ça, pour mon patron et l'avenir du journal. Triste week-end. On dirait que dans la vie les ennuis surviennent les fins de semaine et les jours fériés, lorsque les magasins et les services publics sont fermés et que vos amis sont partis. J'appréhendais je ne sais quoi mais l'atmosphère, lourde au travail, semblait s'épaissir.

Le lundi matin, toutes les idées noires avaient disparu et, traversant le pont Victoria au volant de mon bolide, dont le moteur émettait un son rauque et réjouissant, je me dis que la vie était belle après tout, comme l'affirme textuellement un dicton américain voulant que tout nuage cache un ciel radieux. Arrivé boulevard Monseigneur Plessis, au siège social du journal, je reçus comme un coup en pleine face : la charpente de l'immeuble était carbonisée mais l'édifice en bois était toujours debout. Les orgueilleux panneaux annonçant le *Phénix de la Rive Sud - South Shore Phoenix* étaient illisibles et une odeur de sapin brûlé s'exhalait du bâtiment. Apparemment, les bureaux avaient suffi-samment brûlé pour rendre les locaux inutilisables, mais les pompiers avaient été prompts pour sauver la charpente du bâtiment adjacent à la maison de Théo. Il faut dire qu'une prise d'eau, qui apparemment était opérationnelle, se trouvait à moins de 150 pieds du lieu du sinistre.

Je restai une bonne minute abasourdi. Ma première pensée fut pour la mise en page du numéro qui devait paraître au milieu de la semaine et pour les clichés en métal et les textes qui étaient restés dans les bureaux. J'étais comme un soldat désarmé par la déflagration d'un obus et qui ne demande qu'à remonter en ligne avec sa vague d'assaut à condition de récupérer son fusil. Mon premier réflexe fut de me précipiter dans la maison de Théo pour en savoir davantage sur cette catastrophe, mais la maison était vide de ses occupants. Une domestique étrangère qui ne baragouinait que l'anglais me répéta que «Mister Théo is at New York in business trip». Et les Dulac, Charlie Lagoose, Fern Gingras? Eux aussi étaient à New York *in business trip*. Quel *business*? Depuis quand les affaires de Longueuil-Est se traitaient-elles les week-ends dans la métropole américaine? Quelle étrange coïncidence… Il n'y avait rien à tirer de cette employée qui répétait son texte comme un perroquet.

Je me souvins alors que Théo m'avait confié que le meilleur moyen d'éloigner les journalistes et autres curieux était de les référer à des domestiques qui les recevaient poliment mais s'obstinaient à leur répéter leur leçon sur le même ton à la manière d'un magnétophone.

«Si on t'achale à la maison, avoir une servante pas trop *bright*, c'est la même chose qu'avoir un attaché de presse, prétendait Théo. On lui commande quoi dire, c'est tout. La seule chose, c'est que les *senteux* de journalistes se tannent de harceler la bonne femme, finissent pas se sentir écœurants et lui lâchent les ouïes. Ça coûte moins cher qu'un cave de *public relations* et ça donne les mêmes résultats. J'ai trouvé ça tout seul. Je devrais expliquer ma méthode aux gens des écoles de *business*. En tout cas, quand je refuse des interviews, je m'arrange pour envoyer les *tannants* voir Belinda. C'est le moyen de leur dire poliment d'aller se faire *foquer*. Ils ont beau dire qu'ils n'aiment pas mes méthodes, je n'aime pas plus les leurs. Moi, je travaille pour le peuple. J'enseignerai la même chose à mes enfants s'ils décident d'entrer dans mes affaires…»

J'avais trouvé la méthode cavalière, mais elle lui réussissait. Une formule populiste éprouvée. Peut-être était-ce la raison pour laquelle les gens de presse s'acharnaient tant sur Longueuil-Est. À force de se faire traiter comme des imbéciles, ils ne manquaient jamais de rappeler les anomalies absurdes de la ville-champignon ni le casier judiciaire qui collait à la réputation de Théo. Cela n'empêchait pas ce dernier de leur faire un doigt d'honneur et d'engranger avant tout des profits.

Je voulus en savoir davantage et tentai de contacter respectivement les épouses de Gingras et de Lagoose. Peine perdue. Elles ne savaient rien. J'appris que Marlène Croteau, la secrétaire, s'était également rendue à New York. Les «affaires» devaient vraiment être complexes pour emmener en voyage d'affaires notre unique employée… En somme, toute la bande du journal avait pris des vacances dans la Grosse Pomme, sauf le principal intéressé. J'appris finalement par Blé Noir que tous ces braves gens devaient revenir le mercredi ou le jeudi, date théorique de la sortie du *Phénix,* bien sûr très compromise.

C'est alors que j'entrai dans la carcasse de l'édifice brûlé dont la toiture avait relativement résisté. Si toutes les vitres des fenêtres avaient éclaté, on pouvait remarquer que le feu n'avait pas été gourmand et qu'il n'avait consumé que de la paperasse, des archives et des meubles, et rendu les lieux invivables, ce qui suffisait, bien sûr, à abolir pour un bon moment toute reprise des activités du journal. Je tentai de mettre de l'ordre dans les documents qui avaient échappé aux flammes, le tout avec un immense sentiment d'inutilité, perception de la confrontation du caractère irrationnel de ce monde avec mon désir ardent d'en clarifier l'opacité. Notre prof de philo définissait ainsi le sentiment de l'absurde, ce malaise qui peut vous saisir en tout lieu, si bien décrit par Albert Camus, et que je ressentais alors. Je me souvins alors que Camus parlait de révolte contre cet état, car l'homme est sa propre et unique finalité. Je n'en étais pas encore là et ne trouvais pas de consolation dans mes souvenirs de philosophie.

Tout ce que je comprenais, c'est que cet incendie était des plus malencontreux pour moi et que j'étais tenu à l'écart des nouvelles. Je décidai de prendre donc deux jours de congé en attendant le retour hypothétique de New York de la bande. J'en profitai pour laisser un message au standard des sœurs des Saints-Stigmates pour que Suzal me rappelle. Je me fis passer pour un de ses anciens enseignants, «Monsieur Sanscartier», prof de maths. Je pensais que cela l'amuserait et détournerait les soupçons des religieuses. Je voulais en profiter pour évaluer les possibilités de nos futures fréquentations.

Suzal me rappela et me donna rendez-vous au bout de l'avenue Maplewood. Son idée était de nous promener dans le boisé public longeant l'avenue du Mont-Royal, non loin de là. Après nous être promenés sans rien nous dire, elle me demanda si la pulpeuse orientale qu'elle avait vu m'accompagner un certain soir était mon amie.

— Non, seulement une cavalière d'un soir…

— Je me disais aussi qu'elle n'était pas ton genre, mais comme elle a de quoi intéresser tout garçon normalement constitué, il peut donc y avoir des accommodements…

— D'accord, mais je peux t'affirmer qu'il n'y a pas eu «d'accommodements», comme tu dis.

— Mais tu ne serais pas hostile à ce qu'il y en ait, le cas échéant?

— Je serais bien menteur de dire le contraire, surtout avec un mannequin qui fait rêver tous les hommes dans les tramways et les autobus de la ville, mais depuis que je te connais, elle ne m'intéresse plus, même pour ce que tu peux t'imaginer… Je ne pense qu'à toi. D'ailleurs, je n'ai jamais été amoureux d'elle. Seulement une attirance animale et, à la fois, une certaine répulsion pour toutes les valeurs corrompues qu'elle représente. Je ne saurais t'expliquer, mais cela n'a rien à voir avec les sentiments que je te porte…

— J'apprécie ta franchise, d'autant plus que je vis à la maison dans une atmosphère de dissimulation et de conspiration de laquelle on me tient éloignée, pour mon bien, me dit-on.

Puis, elle me parla de son oncle, de ses débuts difficiles avant la guerre comme l'un des gardes du corps du leader fasciste canadien Adrien Arcand, puis comme aide de camp d'un candidat de la formation politique du parti de l'Union nationale, qui apprécia non seulement sa force physique mais son intelligence. Comme je lui faisais remarquer les fréquentations douteuses de son oncle dans un petit monde raciste qui avait eu son heure de gloire, de ses démêlés comme homme de main de Pasqualini, elle se porta à sa défense.

— Tout cela est du passé. Les hommes de cette époque-là ont tous flirté avec des idéologies plus ou moins totalitaires. Il faut se replacer dans un contexte historique. Théo construit maintenant pour l'avenir. Comment le trouves-tu?

Je lui avouai que je ne manquais pas d'admiration pour cet homme qui, malgré sa rudesse, possédait un charisme certain tout en étant très manipulateur. Je ne pus que lui affirmer que, jusqu'à ce jour, Théo avait été correct avec moi, mais que certaines de ses actions me déconcertaient. Je lui fis part de mes inquiétudes quant à la surveillance que son oncle exerçait sur elle par l'entremise de Butch Dulac.

— C'est l'âme damnée de Théo et je le déteste, mais on ne peut s'en défaire. Il se ferait tuer pour lui. Je pense vraiment que tu devrais t'éloigner de ce milieu politique et chercher un autre emploi… Nous pourrions peut-être nous fréquenter dans un contexte moins bouleversé…

Pour nous reposer de nos déambulations, je ne trouvai rien de mieux que de reprendre ma voiture et d'aller me stationner dans un petit cimetière au bout de l'avenue du Mont-Royal. Ce lieu pouvait sembler curieux pour pratiquer le «parking», ce sport national des jeunes du milieu du XXe siècle, mais il en valait un autre et Suzal trouvait cela romantique. L'après-midi ne fut qu'une suite d'embrassades passionnées témoignant d'un amour naissant. Des êtres qui agissaient comme s'ils s'étaient retrouvés dans le temps et l'espace après avoir été promis l'un à l'autre par quelque magie imaginative dont seule la jeunesse est capable.

Cet amour était périlleux, car son oncle était mon patron et, pour lui, je n'étais qu'un employé tout juste bon à se faire éconduire par Belinda, sa domestique philippine, même s'il déclarait bien m'aimer. Je croyais cependant au miracle.

L'après-midi s'étirait insensiblement vers la brunante. Je décidai de ramener Suzal à son couvent avant que les religieuses ne s'inquiètent un peu trop. En faisant marche arrière, mes roues motrices glissèrent dans une tombe fraîchement creusée ou, du moins, un trou qui lui ressemblait, et celles d'en avant quittèrent le sol. La voiture se retrouva donc dans une position ridicule. Nous étions pris au piège. Fort heureusement, une voiture-patrouille de la ville d'Outremont passait sur le boulevard adjacent. Les agents, qui avaient remarqué cette anomalie à distance, vinrent me demander ce que nous faisions ainsi perchés. Je leur donnai des explications bredouillantes qui ne les convainquirent pas.

— Ouais, la demoiselle a dû vous troubler, me répondit l'un d'eux en anglais d'un air railleur plein de sous-entendus. Vous en serez quitte pour des frais de remorquage…

Je me gardai de protester. Un des policiers appela un garage sur sa radio. Il fallut une heure pour que la remorqueuse arrive et nous tire de ce mauvais pas à grands frais. Suzal arriva en retard au couvent, où elle dut fournir des explications.

Je m'engageai dans une rue perpendiculaire à la Côte-Sainte-Catherine pour rentrer chez moi, à Verdun, lorsque, au risque de me percuter, une grosse Oldsmobile noire me coinça contre le trottoir. Le conducteur en descendit, furieux. C'est alors qu'avec effroi je reconnus Butch Dulac.

— Ah! Ben *toryeu*! Je te *pogne* sur le fait! Mon *hostie*! me dit-il en s'éjectant de sa voiture, en ouvrant ma portière et en me sautant à la gorge.

— Je te croyais à New York, me contentai-je de répliquer, éberlué.

— Laisse faire! Comme ça, on donne des rendez-vous à Suzal Robidas?

— Ça te regarde pas. Tu commences à me faire chier à la fin! lui dis-je en utilisant une prise

d'autodéfense, souvenir d'adolescence, pour le forcer
à desserrer son étreinte.

La semaine avait vraiment mal commencé. D'abord,
l'incendie au journal, et voilà que j'étais pris dans
un affrontement avec un batailleur de rue qui avait
fait ses classes dans les maisons de redressement. Je
n'avais aucune chance d'avoir le dessus, mais voulais
me défendre un tant soit peu. Heureusement, une
voiture de patrouille de police s'arrêta. Il s'agissait des
deux policiers anglophones qui m'avaient tiré l'après-
midi même de ma chute dans la tombe. Étonnés par
les positions inattendues des voitures, ils eurent des
doutes.

— *What's going on?* Que se passe-t-il? me deman-
dèrent-ils, surpris de me revoir.

— Rien, rien, répondis-je, nous chahutons juste
un peu, entre copains...

— *Horsing around, eh?* Du tiraillage, hein? Nos rues
ne sont pas l'endroit pour ça. Vos papiers, s'il vous
plaît.

Je m'exécutai. Butch aussi, à regret. Ils regardèrent
d'un air soupçonneux son permis de conduire et l'enre-
gistrement de sa voiture dont ils vérifièrent le numéro

de série. Butch fulminait intérieurement : on le traitait comme un voleur d'auto potentiel. Peut-être à cause de son apparence exotique. Il n'aimait guère cela.

— Vous… Nous vous avons un peu trop vu aujourd'hui… Circulez ! me dit l'un des agents.

Nous remontâmes dans nos véhicules respectifs. Avant de partir, Butch me laissa entendre que nous reparlerions de tout ça prochainement, tandis que les policiers nous filaient de loin afin de s'assurer que nous quittions bien le territoire de la ville. J'angoissais. Les religieuses, inquiètes à juste titre, avaient sans doute appelé chez Théo qui, comme Dulac, était peut-être déjà revenu de New York ou n'y était peut-être jamais allé. Mon patron avait envoyé son chien renifleur aux renseignements pour retrouver le mystérieux « prof de maths » Sanscartier. Tout cela risquait de compliquer les choses.

Le lendemain, je reçus un appel de Suzal, qui avait déjoué l'attention des religieuses et avait pu appeler de la procure du couvent, temporairement inoccupée. Elle risquait gros en me réitérant ses marques d'affection de la veille dans un tel état de clandestinité. Elle en profitait pour prendre mon adresse et promettait de me recontacter au plus tôt. Nous profitâmes du peu de temps qui nous était imparti pour nous complaire dans cet amour presque adolescent que les Américains appellent *puppy love*.

Chapitre 11

Le mercredi arriva. Plein d'appréhension, je roulai dans les rues de Longueuil-Est en soulevant des nuages de poussière. Arrivé au domicile de Théo, contre toute attente, je le retrouvai de bonne humeur, apparemment peu perturbé par le sinistre qui avait eu lieu dans sa propre cour ni par ce que Dulac aurait pu lui raconter. Je lui demandai ce qu'il comptait faire avec le *Phénix*, qui semblait en mauvaise posture.

— *Sad, sad*, se contenta-t-il de me répondre. Surtout que je comptais utiliser le journal pour faire mousser ma candidature à la Ville… Malheureusement, la caisse est presque vide et il faut que je décide des suites à donner. Cela prendra du temps. En attendant, tu peux toujours travailler de chez toi. Un seul détail : vu que l'argent ne rentre pas, je ne pourrai pas te payer. Pour toi, ce sera comme un investissement. Si nous parvenons à repartir, la belle vie reprendra sinon, Eh bien ! Ce sera pas de chance…

— De quoi vivrai-je ? lui demandai-je.

— C'est ton problème, répondit-il. J'aime bien aider les œuvres charitables, je suis président du Comité du Bien-être social, mais il y a des limites. Tu n'es pas un indigent. Tu dois recourir au système DTC…

— DTC?

— Ça veut dire : « Débrouille-toé, calvaire! » Vends ton char, je ne sais pas, moi… Après tout, je ne suis pas ton père et encore moins une sorte de *mononcle*…

Aïe! Serait-ce une allusion aux événements des derniers jours? Je ne sus le dire, car son visage était aussi inexpressif que celui d'un joueur de poker. Je fis semblant de ne pas relever son insinuation et me retrouvai obligé d'accepter un travail bénévole dans l'espoir d'une reprise hypothétique des affaires. Je croyais encore aux possibilités du journal, mais je sentais que je m'accrochais à des illusions. C'est un peu comme avec ces sociétés éphémères de vente à domicile qui vous demandent deux ou trois cents dollars pour couvrir les frais d'échantillons de produits pratiquement invendables. Lorsque vous avez tout de même réussi à effectuer quelques ventes aux membres de votre famille et à vos amis, vous récupérez quelque maigre commission qui ne couvre pas votre contribution, non remboursable évidemment, puis vous lâchez tout. Bref, captivé par la personnalité de Théo, je me proposai de jouer le jeu, mais il allait falloir que je trouve ma pitance d'une manière ou d'une autre.

— Collecte des articles de nouvelles en attendant et on verra… Je vais mettre Gingras sur la vente d'annonces. Veux-tu m'aider?

— D'accord. Après, on verra.

Pas un mot de l'incident de l'avant-veille. Décidément, il tenait toujours à ses «articles de nouvelles». Je décidai de ne pas broncher sous ce coup du sort que l'incendie représentait pour moi, d'autant plus que *Le Héraut* d'Edgar Dugré, sous la plume de fidèles de l'Organisation, sortait l'artillerie lourde contre Théo Robidas qui se présentait comme échevin à l'occasion d'une élection partielle. On rappelait son passé judiciaire, on parlait de ses «babouins» ou massifs organisateurs d'élection, de ses fréquentations crypto-fascistes. *Le Hérault* ne défendait, évidemment, que de saints hommes, des chevaliers blancs qui allaient faire le ménage à Longueuil-Est et étaient de pieux serviteurs de notre mère la Sainte Église… On retrouvait dans ce journal l'entrefilet suivant : «D'ailleurs, après avoir engagé les journalistes Nils Sendersen et Éric Sanscartier, dignes serviteurs du gang Robidas, le *Phénix* semble bien mal en point à cause d'un incendie mystérieux, circonscrit encore plus mystérieusement...» C'était de la diffamation : Sendersen n'était venu que deux fois au bureau à titre de conseiller. De plus, m'accuser de n'être qu'un admirateur de mon patron était injuste. Je défendais cette ville de malheureux en essayant de mettre en valeur ses réalisations positives, point final. Enfin, si l'incendie pouvait effectivement sembler mystérieux, rien ne prouvait qu'on l'avait provoqué puisque Théo déplorait l'absence de journal pour faire mousser sa candidature.

J'avais beaucoup à apprendre sur les campagnes électorales où tous les coups sont permis et me trouvai bien naïf en voyant le personnel que Théo employait pour organiser ses élections. Oui, il avait ses «babouins», qui ressemblaient en fait beaucoup plus à des gorilles, des masses de chair grasse de trois cents livres et plus, des humanoïdes au regard inintelligent qui, à la différence des grands singes, se tenaient debout. Ils étaient capables de s'exprimer avec quatre cents mots dont la plupart étaient des termes blasphématoires qu'ils transformaient en verbes lorsque le besoin s'en faisait sentir. Ces mercenaires se retrouvaient souvent comme hommes de main et videurs de cabarets. Les plus instruits entraient dans la Police provinciale – la «Pépé» – ou garde rapprochée de Maurice Duplessis, matraqueuse de grévistes et autres «communisses» présumés. En sortant de chez Théo, j'en vis quatre ou cinq en compagnie de Butch Dulac, qui semblait leur donner des directives. Butch m'interpella :

— Toé là, faut que j'te parle…

— Parler de quoi, au juste ?

— Tu ne le sais que trop bien…

— Je me passerai de tes commentaires. Va au diable ! J'en ai rien à sacrer !

Un des colosses qui l'accompagnait me lança un regard assassin.

— On en reparlera, me dit Dulac en me tournant le dos.

De toute évidence, je m'étais fait un ennemi de mon ancien initiateur au jeu de barbotte. Je décidai donc d'aller aux renseignements afin de voir quelles informations je pourrais bien glaner pour une éventuelle reprise du *Phénix*.

Je constatai que la machine électorale de Théo se mettait en route lourdement, mais avec une efficacité remarquable afin d'assurer la victoire. Les «babouins» étaient à l'œuvre. Dans certains bureaux de scrutin, ils étaient chargés de bousculer les officiers rapporteurs ou de les intimider. Ailleurs, ils passaient des «télégraphes». Le système datait du XIXe siècle et il était monnaie courante sous le régime Duplessis. Il suffisait d'avoir des bulletins de vote obtenus de manière frauduleuse déjà marqués d'une croix ou d'un crochet en faveur du candidat que l'organisateur désirait favoriser puis de les confier à des électeurs peu scrupuleux sous condition d'une récompense. Ces personnes indélicates glissaient les bulletins préalablement cochés dans l'urne et remettaient leur bulletin vierge à l'organisateur qui les rémunérait selon un tarif convenu. Le bulletin blanc resservait à d'autres coureurs de bureaux de vote peu scrupuleux.

Il y avait aussi l'intimidation directe, notamment des jeunes ou des personnes âgées. Un jeune homme du genre timide ou un vieillard chancelant pouvait se faire coincer dans le bureau de vote par la masse suante d'un «babouin» qui lorgnait par-dessus son épaule et lui ordonnait de s'assurer de mettre sa croix «à la bonne place». Parfois, la brute bourrait carrément l'urne de bulletins marqués d'avance. Avec les électeurs qui se montraient favorables à leur candidat, ces organisateurs savaient parfois être généreux. Les autres se faisaient « tapocher », recevaient des bourrades. Si un scrutateur appelait la police, les babouins faisaient front commun, se portaient témoins et clamaient leur innocence. D'ailleurs, la police de Longueuil-Est se méfiait de ces individus. On retrouverait peut-être ces personnages inquiétants la semaine suivante à Montréal-Nord, autre ville bénie pour eux, ou sur un chantier où ils protégeaient les briseurs de grèves ou ceux qui œuvraient pour un syndicat bien connu pour ses *enforcers*, ces hommes de main qui contraignaient les ouvriers à arrêter le travail et allaient jusqu'à faire flamber les structures inachevées des petits entrepreneurs en bâtiments non syndiqués qui osaient laisser leurs hommes sur leurs petits chantiers – parfois celui d'un modeste bungalow. Ces êtres glapissaient des slogans qui se voulaient de gauche mais agissaient comme des membres des sections d'assaut nazies, de sinistre mémoire. Grossiers, brutaux, ils étaient de cette race d'hommes qui fit tant parler d'elle en Allemagne au début des années trente, les SA ou chemises brunes d'Ernst Röhm ou encore, aux États-Unis, les *Red necks* travaillant pour les organisations ségrégationnistes, telles le Ku Klux Klan.

Cela dit, ils pouvaient se montrer magnanimes. C'est ainsi que je compris leur stratagème lors de la bénédiction d'un pont dans la région. L'un de ces babouins parmi les plus «instruits» – ce terme signifiant une scolarité de 7ᵉ année «forte» – avait remis aux journalistes le dossier de presse qui célébrait les merveilleuses réalisations de notre «chef suprême»: Duplessis. En parcourant ces feuillets, je trouvai une enveloppe contenant 50 dollars. Ayant fait remarquer au préposé qu'il devait y avoir erreur, il me traita de «niaiseux» et me déclara que c'était «pour mes troubles». Le naïf que j'étais comprit vite, lorsqu'un collègue m'expliqua que cela faisait partie des frais généraux de l'Union nationale et que jouer au vertueux ne servait à rien. Si on ne parlait pas des merveilleux travaux du gouvernement provincial, de toute façon, la fois suivante on ne trouvait pas d'enveloppe dans le dossier de presse, car les hommes du «Cheuf» avaient la mémoire longue. Voila ce qu'on n'apprenait pas dans les rares cours de «piarres» ou PR (relations publiques) donnés par les établissements universitaires et privés.

Comme on s'en doutait, le bulldozer électoral de Théo fonctionna en vitesse surmultipliée et il rentra «comme une balle» en tant qu'échevin. Quatre des autres échevins ayant déjà bénéficié de sa machine électorale lui furent favorables. C'en fut assez pour mettre Lucien Gore en difficulté. Ce dernier se garda de féliciter Théo et sentit qu'il allait éprouver des problèmes pour se faire réélire. Lentement, Théo s'installa. Butch Dulac le surnomma le «Mero mero» – le caïd en argot sud-américain. La ville sembla se civiliser avec l'arrivée de ce que nos contemporains appellent un *shopping center* ou «centre d'achats». Dans ce centre commercial, on retrouvait l'inévitable marché Steinberg et son fondateur, le génial Sam qui, avec la simplicité qu'on lui connaît, faisait remarquer lors du discours inaugural que dorénavant Longueuil-Est entrait dans l'ère de la commercialisation de masse. Un de ses porte-paroles ajouta que la maison offrait du poulet «Aimez-moi tendre» à prix imbattable parce que «Personne, sauf personne, ne sous-vend l'ami Bill». Les efforts de francisation de la maison, qui apparaissaient d'ailleurs dans sa circulaire, étaient louables mais exigeaient d'être décryptés : le poulet «Aimez-moi tendre» faisait allusion à la chanson *Love Me tender* d'Elvis Presley, un succès monstre, et lorsque «l'ami Bill» – le directeur du magasin – «Sous-vendait» (*undersells* en anglais) ses articles, cela signifiait qu'il les liquidait à des prix défiant toute concurrence. C'était la nouvelle «littérature» du commerce! Seul Valmy Lapierre, le révolutionnaire que je ne manquais jamais de retrouver sur mon

chemin, remarqua ces navrantes publicités et tomba
à bras raccourcis sur la société de consommation.

— Maudits «centres datchas»! vitupéra-t-il en
faisant un mauvais jeu de mots évoquant les maisons
de campagne de Russie. Ils tuent le petit commerce.
De plus, les grandes chaînes d'épicerie commandent
des produits aux fabricants mais en plus petit format
que ceux vendus dans les commerces familiaux. Et
ils sont de moindre qualité pour pouvoir se vendre
moins cher. Ça fait que l'on paye davantage pour des
produits frelatés avec des substances chimiques pour
que l'on s'y habitue!

— Je crois malheureusement que beaucoup de
ces histoires s'appuient surtout sur des rumeurs de
tavernes. La grande consommation a ses avantages,
non?

— C'est ce que l'on essaie de vous faire croire. La
consommation, c'est comme l'information: ça sert
à fourrer le monde! Je suis las des capitalistes nord-
américains et des exploiteurs des masses, c'est tout!
Vous verrez… Nous verrons la fin du libéralisme!

Et voilà que mon militant gonflé à bloc suffoquait
et se mettait à écumer. Il voyait partout des complots

dans l'optique d'une reprise des discours marxistes ou des disciples staliniens, le tout resservi à une sauce québécoise misérabiliste. De quoi désespérer avant de voir la révolution régner sur Longueuil-Est et la province.

En attendant, j'appris que nous avions un nouveau chef de police pour remplacer l'infortuné Simonis, dit Syphilis. Il s'agissait d'un certain Gilles Alwynn, un ancien inspecteur de la ville de Montréal. Il se présenta à l'hôtel de ville où il fut assermenté par le capitaine Jean Talbot qui lui fit les honneurs des lieux. Le chef visita le cabaret Le Pirate, propriété de Théo Robidas, et y reconnut des figures connues de l'escouade de la moralité de la Ville de Montréal où il avait déjà travaillé sous Pax Plante. Puis, Talbot lui fit voir l'emplacement de la barbotte du boulevard Taschereau ainsi que celui de plusieurs *blind pigs* ou débits de boisson clandestins s'affichant comme des clubs sportifs ou des établissements privés auxquels il ne fallait pas toucher, même si tous les petits ivrognes et les chauffeurs de taxis les connaissaient. On lui montra également la maison close de la mère Laframboise, dite Mary Raspberry, une tenancière qui avait déménagé de la rue Ontario, à Montréal, sur la Rive-Sud au moment du grand nettoyage des maisons de passe clandestines suite à l'Enquête Caron. Enfin, le capitaine expliqua au nouveau chef les méthodes électorales de la ville. Celui-ci opina, en bon élève, et n'émit aucun commentaire. L'heure du *lunch* arriva. Alwynn déclina l'invitation de son subordonné et se rendit apparemment déjeuner ailleurs. J'en profitai pour me présenter afin de solliciter une interview et connaître ses projets, mais la rencontre tourna court. Le policier avait le regard vide et vitreux d'un zombie, la parole évasive. Il nous salua et s'éloigna. On ne devait plus jamais le revoir et il ne donna jamais plus de ses nouvelles. Le capitaine Talbot dut donc, une fois de plus, assumer l'intérim.

Une Ligue de salubrité publique vit le jour à Longueuil-Est. Elle fut noyautée par l'Organisation, animée par Jean-Edgar Dugré, du *Héraut*, et dirigée par un bon frère aux lunettes métalliques, ressemblant au chef nazi Heinrich Himmler. Cette association était évidemment pleine de bonnes intentions mais elle visait surtout un certain pouvoir des bien-pensants et ses membres, judicieusement placés auprès de la Commission scolaire, afin qu'ils parviennent à obtenir un octroi supplémentaire de plusieurs dizaines de milliers de dollars du département de l'Instruction publique du Québec.

Telles étaient les grandes nouvelles qui pourraient faire la une du *Phénix* si jamais il reparaissait mais, pour l'instant, c'était du bénévolat et tout cela tournait à vide. À l'issue d'une journée de recherches, je m'apprêtais à remonter dans ma voiture lorsque je m'aperçus qu'elle reposait sur des bûches de bois. Ses coûteuses roues en magnésium importées d'Europe et ses pneus spéciaux avaient disparu. Le travail avait été effectué professionnellement. Il s'agissait évidemment d'une mauvaise surprise, car j'allais être obligé de remplacer le train de roues manquant par des jantes, des pneus et des enjoliveurs ordinaires qui représentaient tout de même une coquette somme que je ne possédais pas. De plus, mon assurance comportait une franchise si haute pour ce véhicule performant que ce genre de sinistre était couvert au minimum.

Comble de malheur, après avoir acheté mes nouvelles roues à crédit, car j'étais sans ressources, je découvris que la voiture ne voulait plus démarrer. Après l'avoir fait remorquer dans un garage, le mécanicien découvrit après des heures de recherche que quelqu'un avait mis du sucre en poudre dans le réservoir d'essence – ce qui sous-entendait d'autres frais de remise en état.

Mais qui avait donc pu faire ça ? C'était du vol, doublé de vandalisme. On avait voulu de toute évidence me causer du tort en s'attaquant au seul objet de quelque valeur dont je pouvais être fier. Je voyais mal des

adversaires d'autres publications – que j'avais malme-
nés, il est vrai – se livrer à des gestes aussi imbéciles, pas
plus que des anonymes de Longueuil-Est jaloux d'un
jeune amateur de « gros cubes » décider subitement de
me causer gratuitement du tort. Non, c'était du bandi-
tisme malfaisant et calculé, et je pouvais me considérer
heureux de ne pas avoir retrouvé une bombe branchée
sur le démarreur, comme le chef de police Simonis.
Qui donc pouvait m'en vouloir à ce point ?

— Ouin… On fait son frais, me lança Butch Dulac
d'un air narquois en me voyant arriver chez Léo dans
une vieille Ford 1938 prêtée par mon ami Big Moose.

De toute évidence, le Cubain prenait plaisir à constater que je conduisais un tas de ferraille et ça l'amusait.

— C'est ton nouveau char pour sortir les p'tites
filles ? me demanda-t-il. Mademoiselle Suzal n'appré-
ciera pas beaucoup ce bazou…

J'essayai de garder mon calme et soudain j'eus une
horrible pensée : ne serait-il pas à la source de tous
mes ennuis de véhicule ? Il connaissait suffisamment
de malfrats pour se venger du fait que je me sois
permis de transgresser ses mises en garde. Cependant,
je n'avais pas de preuves et ne pouvais accuser un

ex-meurtrier plus ou moins blanchi, au risque de payer encore plus gravement mon audace que par un vol et des dommages à la propriété.

— J'ai eu des ennuis avec ma Mercury. Un vol. Justement, toi qui connais bien du monde, j'aurais quelques conseils à te demander…

— Qu'est-ce qui t'est arrivé ? s'enquit-il en esquissant un sourire.

Je lui expliquai les méfaits, avec la ferme conviction qu'il en savait long sur mes mésaventures, mais il ne cilla pas et s'en tint à des généralités décevantes sur l'esprit tordu de certains malfaiteurs. Je fulminais intérieurement mais étais obligé de garder un visage impassible. « Si ton char te coûte trop cher, surtout avec les réparations, vends-le ! » se contenta-t-il de me dire. Mon petit monde s'écroulait. J'étais comme un cow-boy qui a perdu sa monture. Le « Cubain » avait réussi à désarçonner le jeune Nord-Américain naïf que j'étais. Je me méprisai, mais étais-je si différent de ces personnes « arrivées » qui s'affichaient dans leur grosse Cadillac ? Je voulais juste que l'on me perçoive comme un jeune homme entreprenant, un type « dans le vent », mais m'étais pris pour un autre… Oui, il fallait me débarrasser de cette voiture, tout juste bonne à épater ce que les Anglais appellent les *East-End Goons*, les blousons noirs de l'est de Montréal, imitateurs des motocyclistes délinquants de *L'Équipée sauvage*, ce film avec Marlon Brando qui avait donné il y avait encore peu de temps bien des frissons aux filles.

Je décidai de consulter Théo qui connaissait tout le monde et me faisait travailler pour rien en faisant miroiter une reprise éventuelle des affaires. « Vends ton char ! » me répéta-t-il lui aussi sans me laisser grand espoir. Je choisis de suivre son conseil mais, une fois tous les frais assumés pour racheter un train de roues, vidanger le réservoir et les circuits d'essence, avec ce qui me restait à payer sur mon engin de rêve, je me retrouvai avec de quoi racheter l'antiquité Ford de mon ami Big Moose. Les belles heures de Longueuil-Est et la vie faste étaient finies et, faute de capitaux, je ne pus me refaire au jeu. Je me retrouvai donc sans le sou avec une voiture dix ans plus vieille que celle que j'avais en commençant au *Phénix*. Heureusement, elle fonctionnait et roulait, mais dans une gloire de grincements et de fumées d'échappement, car elle brûlait l'huile au gallon et tenait debout grâce à tous les gadgets, fils de fer et rubans gommés de Handy Handy et de Canadian Tire. Je ne déparais pas dans le décor de Longueuil-Est et pensai à mon ami Perreault qui m'avait pourtant recommandé de ne pas me lancer dans cette aventure.

Tant pis, si je devais écrire je le ferais quand même, comme Valmy Lapierre rencontré cette fois-ci près d'une cabane à frites de l'ancien chemin de la Côte-Blood. Il m'assura qu'il travaillerait un jour à *La Presse*, tout comme Marc Bourin, pseudonyme de l'ancien employé polonais Marek Hirzowski, commis à la municipalité de Longueuil-Est, qui désormais dévoilait dans *La Presse*, surnommée « la Grosse madame de la rue Saint-Jacques », d'autres horreurs dont il avait été témoin dans son travail.

— Oui, mais moi ce ne sera pas du sensationnalisme pour l'amour de la nouvelle croustillante. Ce sera pour libérer le peuple exploité. Je prêcherai la lutte armée s'il le faut ! Il est temps d'infiltrer ce vieux journal bourgeois. D'ailleurs, ma pensée philosophique se structure lentement. La violence dans l'histoire, ça existe et c'est ce qui a un effet dynamique. J'en suis fermement convaincu !

— Je connais vos idées : Engels et compagnie. Cependant, je crains que ces journaux que vous voulez infiltrer ne vous laissent pas faire, même si certains de nos intellectuels sont prêts à accepter des concepts d'extrême gauche ou d'extrême droite en oubliant leurs répercussions en Europe… Bien sûr, nous avons eu avant la guerre des nazis canadiens avec le parti de l'Unité nationale du petit führer Adrien Arcand et un député fédéral communiste dans Cartier en 1943, un certain Fred Rose, mais ces idéologies n'ont pas fait long feu ici, malgré les incongruités de notre système politique et une misère qui ne devrait pas exister, vu la richesse du pays.

— Avec un parti socialiste égalitaire et québécois, nous pourrions faire disparaître tous ces abus, mais seulement il faudra en payer le prix, reprit-il.

— On connaît ce prix, malheureusement: celui du sang et de troubles civils que les gens d'ici ne sont pas prêts à assumer. Il existe bien des saloperies dans notre politique, mais elles sont risibles à côté de ce que les Européens ont vécu et vivent encore. La mort récente de Staline, le *Vojd* ou « Guide » ou encore « Le petit père de peuples », nous a rappelé les millions de morts que sa politique a provoqués en URSS, l'idolâtrie dont il a été l'objet et qui a été dénoncée. Voulez-vous revivre de telles horreurs dans la province?

— Ce ne sera pas la même chose ici, reprit Lapierre. L'avènement d'un socialisme québécois balaiera nos élites fumeuses de cigares de la rue Saint-Jacques, nos porcs capitalistes à la solde de Wall Street, exploiteurs du prolétariat. Mais évidemment, il faudra effectuer des coupes claires…

Une fois de plus, Lapierre hoquetait en parlant, diffusait son odeur désagréable de gamin livide, souffreteux, crucifié vivant par son idéologie. On aurait pu croire que son discours, calqué sur les diatribes des chantres du communisme russo-chinois, n'était que de vaines paroles mal digérées, comme on pouvait en entendre dans nos cafés dits «existentialistes», où des théoriciens et des anarchistes de salon vivant dans les rues formant le «ghetto McGill» côtoyaient d'authentiques artistes créateurs. Il n'en était rien et je percevais que dès qu'il le pourrait, Lapierre ferait parler de lui d'une manière ou d'une autre en disséminant ses idées chez des individus incontrôlés et désespérés.

La Ligue de salubrité publique, soutenue par l'Organisation, s'acharnait à empêcher Théo Robidas de devenir maire. Les résultats étaient serrés et il se retrouva éliminé à quelques voix près. Les bien-pensants avaient gagné avec leur maire, Géo Chartrand, qui effectua une purge chez les employés de l'hôtel de ville. Tout comme Lapierre militait pour la purification des mœurs bourgeoises par la torche d'un socialisme dictatorial, le nouveau maire délégua un ex-sergent pour supprimer les taudis qui embarrassaient la ville. Cet ancien militaire, grossier et sans nuance, se fit aider de deux inspecteurs aussi bornés que lui, qui ne connaissaient que le strict règlement. Ainsi, lorsqu'un logis était déclaré insalubre, on y apposait une pancarte déclarant cet état et, dans les dix jours, les occupants devaient en entreprendre la démolition et la terminer dans le mois qui suivait. Faute de quoi, la Ville s'en chargerait aux frais du propriétaire. Si ce dernier était incapable d'assumer les frais, la Ville s'empressait de récupérer le terrain à bon compte et tant pis pour les versements qu'avait effectués le malheureux qui rêvait d'avoir quelques pieds carrés de terrain bien à lui.

Où donc logeraient ces gens déplacés et leur marmaille? On ne voulait pas le savoir! Ils devaient faire place nette, comme s'ils étaient de riches propriétaires fonciers ayant de nombreuses propriétés où résider. Les plus favorisés, ceux qui avaient du travail, passaient leurs soirées à démolir leur taudis afin de pouvoir éventuellement reconstruire en logeant chez des parents. D'autres, incapables d'entreprendre des travaux, laissaient simplement tout tomber et filaient, on ne sait trop où, avec armes et bagages. «C'est une écœuranterie!» clamait Théo qui, aussi malicieux qu'il pût être, serait prêt en tant que maire à assouplir le règlement, car il n'en était pas moins sensible aux malheurs des pauvres gens. Deux cents de ces taudis seraient éliminés au fil du temps par leurs propriétaires ou le bulldozer de la Ville. On en visait, disait-on, bien d'autres. « Malheur aux vaincus ! » comme le disaient les Romains.

Je survis grâce à des contrats à la pige au Réseau international de Radio-Canada, car ce n'est pas avec ce que Théo Robidas refusait de me verser que je pouvais manger, payer le loyer de ma chambre et mettre quelques dollars d'essence dans ma voiture. J'accumulai toutes sortes de nouvelles, mais elles ne servaient à rien car, de toute évidence, le *Phénix* ne renaîtrait pas de ses cendres. C'est alors que mon ami Sendersen me donna l'idée de faire une synthèse de l'incompétence qui régnait depuis des années dans Longueuil-Est. Ce serait un bon moyen de faire la part des choses en séparant la vérité des rumeurs et le sensationnalisme du quotidien véritable.

J'avais découvert par hasard un résident, un certain Elphège Landille, un fonctionnaire municipal pointilleux qui avait pris en note et consigné sur quelque 800 pages tous les faits importants et futiles qui avaient pu se dérouler sur le territoire de Longueuil-Est depuis sa fondation. Il me les fournit gracieusement. On y trouvait le nom du premier échevin de tel ou tel quartier, les spécifications des prises d'eau de la ville, le nombre de bétonnières utilisées pour construire l'usine de filtration en passant par les commandes d'attaches-trombones par le service de la police. Un foutoir, mais riche d'enseignements.

Le tout était d'un ennui monumental mais, au cours de ces énumérations fastidieuses et après avoir éliminé les détails superflus, on trouvait dans cet inventaire de quincaillerie et ces potins fort bien fondés des éléments de vérité susceptibles d'étoffer des articles, voire un livre sur l'administration de la ville. Qu'allais-je faire de toutes ces informations, très peu critiques il était vrai ? « Reprends tes études et parles-en à tes profs. Ce serait pour toi un sujet de thèse en sociologie. Choisis-toi un directeur ! » me recommanda Sendersen, qui avait toujours l'esprit pratique. Cela était vite dit. Le sujet était intéressant et me permettrait en plus d'écrire un livre basé sur ma thèse en modifiant le style universi-taire. Nul doute que le succès d'un tel ouvrage m'aide-rait à poursuivre mes études et à me faire connaître. Merci brave Monsieur Landille !

La vie n'était pas si pourrie que cela, après tout, d'autant plus que Suzal m'envoyait régulièrement des lettres auxquelles je ne pouvais répondre. De temps en temps, elle déjouait l'attention des religieuses et parvenait à m'appeler. Ses sentiments étaient intacts. Les miens aussi. Comment faire pour nous revoir? Elle était prête à n'importe quoi et moi aussi.

Chapitre 12

J'appris que l'Organisation publiait dorénavant un journal hebdomadaire qui s'appelait *Le Clairon de Longueuil-Est*. Sur un style revendicateur, entretenu par Dugré, il était le porte-parole de l'administration du maire Chartrand et ne se gênait pas pour diaboliser Théo Robidas. Lorsque j'en parlai à mon ancien patron, il m'apprit qu'en dépit de l'affirmation d'indéfectible solidarité qui était censée exister entre les membres de l'Organisation, la chicane avait pris, notamment entre les commissaires. On se critiquait, on se répudiait, on se dénonçait. Ce n'était donc pas la grande alliance escomptée et la vieille technique du «mange Canayen» et celle de la coupe des têtes qui dépassent de la clôture étaient employées. C'est ainsi que l'un des «frères» de l'Organisation se fit dénoncer pour avoir transporté un gallon d'alcool frelaté des Yougoslaves de l'île Perrot dans sa voiture. La Police provinciale se précipita toutes affaires cessantes, appréhenda le distingué membre de l'Organisation et lui fit ouvrir son coffre. Il plaida non coupable en prétendant avoir acheté cet alcool d'inconnus pour dégeler les conduites d'essence de sa voiture en hiver ! Marguillier de sa paroisse, il fut acquitté avec les honneurs, car la Police des liqueurs rejeta la plainte. On était en pleine comédie.

Je posai alors à Théo une question épineuse et lui rappelai que je ne pouvais continuer à travailler pour rien. Il lui suffisait de me verser ce qu'il me devait aux termes de mon contrat de travail et on n'en reparlerait plus. Cela me permettrait de me retourner. Il devint grossier et me dit que ce genre de contrat non rédigé par un cabinet d'avocats ou un notaire ne valait pas le papier sur lequel il était écrit et que je pouvais me torcher avec. D'autre part, il prit les devants.

— Et si jamais tu avais l'idée de me poursuivre, je te préviens que mes biens sont au nom de mon épouse et des membres de ma famille. Moi, je ne possède rien, m'affirma-t-il.

— Je connais la combine, vous ne l'avez pas inventée, lui répondis-je, et je suis surpris de voir que vous utilisez avec moi ces astuces d'homme d'affaires véreux indignes de votre personne. C'est décevant. Prendre de telles mesures pour se débarrasser d'une si petite dette ressemble à tirer sur un lièvre avec un bazooka!

— Même avec un mortier ou un canon de 88! Pourquoi pas? Quand quelqu'un m'*achale*, j'utilise l'artillerie, renchérit-il. Si tu me fais du trouble, tu vas apprendre de quel bois je me chauffe, *câlisse*!

— Dans ces conditions, la parole sera à mes avocats, conclus-je, sûr de mon bon droit. Vous aurez de mes nouvelles…

— Cert'nment, Ricky. N'importe quand, n'importe où, n'importe comment, me répondit-il avec un rire gras.

Il était confiant de tenir le bon bout, sachant fort bien qu'un étudiant fauché ne saurait affronter ses hommes de loi payés à l'année et, surtout, sa redoutable troupe d'hommes de main. Cela ne m'empêcherait pas de me défendre, même si cela ressemblait à un combat désespéré. Je regrettais d'avoir à en venir à de telles extrémités car, malgré son aspect fruste et ses antécédents judiciaires, je m'étais attaché à cet homme, à ce politicard qui, s'il recherchait les profits faciles et les combines juteuses, n'en possédait pas moins le sens du service public, sans doute à cause de ses origines modestes. Mais le «Mero mero» avait un grand défaut: la soif de pouvoir et, pour la satisfaire, rien ne l'arrêtait. Ses ennemis, les bien-pensants, les catholiques sincères ou d'habitude, les «commu-nisses», c'est-à-dire les syndicalistes non corrompus et les gens de gauche, ne lui faisaient pas craindre pour sa vie : ils ne lui causeraient jamais de tort sur le plan physique. Les autres, les douteuses brutes d'«unions» aux méthodes musclées et aux cerveaux gros comme des petits pois, le menaçaient, mais savaient que le corpulent organisateur répliquerait à toute attaque avec les mêmes méthodes qu'eux.

Il avait notamment à son service une terreur notoire : Sandy Carson, avec lequel il était associé dans une affaire de construction. Sandy était une ancienne vedette de la Soirée de lutte au Forum, les mercredis soir. On l'appelait aussi «Le Sableux» (traduction boîteuse de Sandy, diminutif d'Alexandre), mais aussi parce que, jouant les méchants sur le ring, il faisait mine de frotter la peau de ses adversaires avec des substances abrasives comme du sable ou du gros sel. Il se rappelait à la mémoire des amateurs de ce genre de spectacle en évoquant ces pitreries, mais c'est surtout dans les faits divers que l'on retrouvait sa mine plutôt antipathique. Toutefois, contrairement aux autres *enforcers* du genre, c'était un petit malin qui avait réussi à se tirer de trois accusations de meurtre, alors que certains de ses acolytes s'étaient fait «pluguer» lors de règlements de comptes ou avaient fini avec de longues peines de prison. Allais-je risquer de me faire secouer par cette masse de viande ?

Mon ami Perreault me recommanda un avocat, Me Laborie, dont la réputation était excellente. Ce juriste n'y alla pas par quatre chemins :

— Mon garçon, quelle est l'influence de ta famille à Montréal et quels sont tes moyens ?

— Je suis un étudiant sans ressources, ma famille vit à l'extérieur et je ne fais pas de politique. Ce sont des gens sans histoire, si vous voulez le savoir, répondis-je.

Étant donné que les avocats ont la réputation assez surfaite de défenseurs de la veuve et de l'orphelin, et la manie de minuter à grand frais leurs moindres interventions, je préférais mettre carte sur table.

— Bien, dit Me Laborie sans se démonter. Tout cela pour vous dire que vous vous attaquez à forte partie. Théo Robidas a des moyens. Votre contrat, bien qu'étant parfaitement légitime et contresigné par des hommes à lui, me dites-vous, se défend en théorie, mais M. Robidas a pris garde de placer ses biens au nom de son épouse, des membres de sa famille, de ses associés, comme le fameux ex-lutteur Sandy Carson, le tout assorti d'ententes privées qui rendent votre ex-patron insaisissable et insolvable. Je le sais car, dans une affaire récente, certains confrères en ont été quittes pour gaspiller temps et argent de leurs clients en le poursuivant. Il s'agit d'un truc aussi vieux que les incendies prétendument accidentels se déclarant dans des commerces véreux ou déficitaires…

— Cela veut donc dire que je n'ai aucun recours ? lui demandai-je en pensant justement à l'incendie étrange du *Phénix*.

— Sinon une entente de part et d'autre. Je vais lui envoyer une lettre en lui rappelant vos droits et lui soulignant qu'un règlement à l'amiable pourrait éviter aux parties en cause des frais supplémentaires, mais je ne peux guère faire plus. Il vous proposera probablement une somme minimale, mais ne comptez pas récupérer la totalité de ce qu'il vous doit. Vous ne faites malheureusement pas le poids face à ce personnage, et je ne puis que vous conseiller de vous en éloigner le plus rapidement possible. Il est de mèche avec les frères Dulac, les fils d'un ancien militant de l'Union nationale de Saint-Henri, Éphraïm Dulac, et traficote avec eux en les utilisant comme organisateurs d'élections.

— Je les connais, lui dis-je d'un air sinistre. D'autres « personnages » en effet…

— Alors vous m'avez compris. Allez et bonne chance !

Il ne me restait plus qu'à traîner ma peine à Longueuil-Est, sachant que toute collecte d'informations sur les progrès de la ville ne pouvaient être que futiles. De toute façon, c'étaient surtout les nouveaux domaines, Versailles et Bellevue, qui bénéficiaient de trottoirs. Des gens qui y résidaient depuis quinze ans pataugeaient toujours dans la gadoue. Il faut dire que rien n'arrêtait le progrès. La municipalité achetait dorénavant de l'huile de transformateurs usée aux compagnies d'électricité et la répandait sur la chaussée pour rabattre la poussière. On suspectait que ce genre d'épandage n'était pas très sain, car ces huiles contenaient des biphényles polychlorés ou BPC, terriblement nocifs pour les humains et les animaux. Mais qui était vraiment au courant ? Il faudrait de longues années pour que le grand public en connaisse les méfaits. Les soucis environnementalistes n'étaient guère entretenus au Québec que par quelques universitaires visionnaires. Et que dire des résidents qui avaient des puits artésiens déjà pollués par les pittoresques cabanes d'aisance surnommées « bécosses » et les effluents sauvages ? C'était à désespérer.

Trois jours après ma visite chez Me Laborie, Théo Robidas me convoqua par un coup de téléphone. Il semblait pressé. Dans un nuage de fumée, je me rendis dans ma vieille Ford chez mon ancien patron. Il fut aussi direct et subtil qu'une pince de cambrioleur.

— Ricky, j'ai reçu la lettre de ton avocat et j'aime pas ça, commença-t-il.

— J'avais une entente avec vous. Que feriez-vous à ma place ?

— Au cul, ton contrat ! Je n'ai pas de temps à perdre. Je suis un homme d'action. Le journal n'était pas assez rentable et je préfère investir dans des moyens plus payants pour que nous puissions remporter les élections. Il faut tout repenser notre stratégie.

— Investir dans des fiers-à-bras, par exemple ?

— Faut se protéger, nous, gens du peuple, et donner un petit coup de pouce à la chance. J'avais l'habitude de demander gentiment les choses. Maintenant, je pousse mes revendications à l'explosif – façon de parler –, car on ne peut compter sur les gens « honnêtes » et les *rongeux de balustres* qui niaisent sur le moindre règlement avant de se décider. Seuls les résultats comptent ! On ne fait pas d'omelette sans casser des œufs. Oui, les résultats, même si au passage le politicien peut y trouver une petite récompense pour ses efforts, car il lui faut ramer dans le chaos... Il faut parfois lutter contre le feu avec le feu. Tout est bon pour arriver au but! Si j'avais les moyens de faire autrement ou encore tout le temps nécessaire, ce serait OK, mais ce n'est pas le cas... Total : je suis capable de faire peur et d'acheter soixante-quinze pour cent de ces caves vertueux. Ils en font dans leur culotte. Crois-moi bien, la défensive ne vaut pas de la *marde* ! C'est l'offensive qui compte. C'est pour le bien du peuple...

— Se protéger en attaquant ; pas très moral tout ça... Êtes-vous en train de me dire qu'il est bien, même en améliorant le climat social, de profiter des situations troubles pour vous enrichir ?

— On en a rien à *crisser* de la morale et c'est dans les moments de troubles qu'il faut agir, avant que les maudits législateurs bureaucrates nous disent comment couper du beurre avec un couteau bien affilé et tenir notre pissette en urinant...

— En attendant, les petits se font exploiter. C'est facile !

— Il y aura toujours des perdants. C'est normal, mais ils ont toujours la chance de se rattraper.

— Vous diriez donc «Tant pis pour les malheureux»?

— Qu'ils fassent comme moi. On peut les déprendre un moment, mais je leur dis d'appliquer la méthode que je préfère, la méthode DTC, dont je t'ai déjà parlé. Les Républicains américains ne disent pas autrement, qui demandent moins d'ingérence gouvernementale dans le *business*. Tu ne peux pas me juger.

Alors que nous discutions, il en revint à nos affaires.

— Ricky, tu sais que je t'aime bien et si tu n'étais pas aussi sincère et jeune, je ne perdrais pas de temps à discuter avec toi. Sais-tu que pour deux cents piastres je peux faire *pluguer* un type sans me faire prendre? Je suis associé avec des entreprises de vidanges et peut faire disparaître les preuves à tout jamais… *Bye-bye*, chihuahua! Cherchez le petit monsieur… *Gone!*

— Merci, j'ai compris, répondis-je en devenant livide, et vous vous rendriez à de telles extrémités pour quelques dollars?

Il avait pris un visage buté de Monsieur-Mort-subite. Je ne pouvais dire s'il bluffait, mais des bruits couraient sur certains propriétaires de champs d'épandage, «hommes d'affaires favorablement connus», comme les qualifiaient certains journalistes serviles et complaisants. Ces éboueurs utilisaient ces lieux pour faire disparaître des malfrats encombrants. La disparition récente et mystérieuse du chef de gang ukrainien Frank Kushniruk, chez qui la Gendarmerie fédérale avait trouvé des preuves incriminantes sur différentes mafias, constituait un indice. Il en était de même pour des hommes de main compromis ou susceptibles de bavardage appartenant aux groupes mafieux juifs ou italiens. D'autres affirmaient que le fond du Saint-Laurent recelait maints cadavres de truands lestés de gueuses de plomb ou que les ouvrages de béton des maîtres de la Concrete Guild, un puissant lobby de cimentiers, réserveraient des énigmes aux archéologues des siècles à venir lorsqu'on les démolirait.

— J'vais faire une affaire avec toé… En grattant le fond de la petite caisse de la compagnie, j'ai retrouvé 300 beaux dollars qui n'ont pas été dépensés. Ça me coûte plus cher que d'autres solutions, mais c'est aussi moins de troubles. Et puis, je t'aime bien, comme tu sais, et tu as toute la vie devant toi. Penses-y. Je te fais un chèque et on oublie tout ça… OK?

— Je vais y penser, répondis-je pour gagner du temps et consulter mon avocat.

— Pense vite. Tu as exactement une heure… Pas de temps à perdre.

Je transigeai pour donner ma réponse à la fin de la journée, car Me Laborie était probablement au tribunal le matin. Je traînais un peu et parvins à le rejoindre en après-midi.

— Trois cents dollars? Eh bien! mon jeune ami, c'est déjà pas mal, m'affirma le juriste d'un air paterne.

— Mais, mon contrat? Il me doit beaucoup plus…

— Je vais vous dire le fond de ma pensée: prenez son chèque, sauvez-vous avant qu'il ne change d'avis et empressez-vous de l'encaisser. C'est vrai qu'il doit vous avoir en estime, car il n'est pas aussi indulgent d'habitude et n'aime guère être contredit…

Devant mon avocat, que ma minable affaire n'intéressait apparemment pas, je me retrouvais à rendre les armes, c'est-à-dire à remettre mon contrat dérisoire à Théo en échange de 300 dollars sur lesquels il fallait que je règle les honoraires de Me Laborie.

— *Attaboy*! me dit triomphalement Théo en brûlant les feuilles du contrat dans le cendrier sur pied orné d'un perroquet en faux marbre rose et vert. On est quittes. Ça l'a été un plaisir de faire affaires avec toé…

Un plaisir… Tout dépendait pour qui.

Il suffisait en somme que je me remette aux piges pour assurer ma subsistance. Oui mais où? Il y avait bien les petits contrats du Réseau international de Radio-Canada, où j'avais fait mes premières armes avec le reporter René Lévesque, fraîchement revenu de Corée, mais la formule touchait à sa fin et la radio d'État ne prenait plus de pigistes. J'avais passé là de belles heures en compagnie de marginaux dans mon genre, dont un descendant direct du duc Henri d'Aumale, qui végétait à Montréal en attendant de redorer son blason, un ancien docteur ès Lettres, polyglotte et alcoolique, et une muse nymphomane et bisexuelle des milieux journalistiques, qui portait le prénom et le nom peu communs de Campanule Villeblanche. Restait aussi la collaboration à de petits journaux à potins, que l'on vous achetait 50 cents l'unité dans les bas-fonds poussiéreux de la rue Saint-Denis, au-dessus de Sherbrooke, une portion de rue maussade, aux commerces éphémères, pleine de vendeurs de cycles exerciseurs, de microsociétés aux activités mal définies et de voyantes naturistes.

Rive-Sud, P.Q.

«Cassé comme un clou», incapable de me payer une chambre, à la suite d'un reportage sur le sculpteur Robert Roussil, ce dernier m'offrit un gîte temporaire à sa «Place des arts» – la première du nom –, un atelier décrépit situé devant le Théâtre du Gésu, rue Bleury. Il y avait là une foule de jeunes artistes qui suivaient les cours du maître tout en trouvant un refuge en ces lieux. Pour moi, ce n'était qu'une solution de dépannage et je quittai ce havre sympathique avant que Roussil se fasse signifier un ordre d'expulsion par la Ville de Montréal. Écœuré, l'artiste alla s'établir en Provence, où il se fixa et y acquit une notoriété internationale.

Grâce à la vieille Ford de mon ami Big Moose, je me traînai jusqu'en Ontario pour faire la cueillette du tabac et revivre l'ambiance de *Tobacco Road* d'Erskine Caldwell avec d'autres migrants et étudiants sans le sou. Je fus notamment tueur et plumeur de dindes dans un élevage, le temps de me refaire. Vivant dans ma voiture, j'économisai au maximum. Triste *road movie*. La «Route au tabac» d'Éric Sanscartier était loin du luxe de la belle époque, de la grosse Mercury, des gains à la barbotte et des regards étonnés de Leilah Soutab.

Lorsque je revins à Montréal, mon ami Nils Sendersen, de *Montréal-Hebdo*, crut me donner un coup de main en faisant passer un entrefilet dans son

268

journal qui rappelait que «le jeune journaliste Éric Sanscartier, autrefois du *Phénix de la Rive-Sud*», allait faire définitivement le point sur la situation qui régnait à Longueuil-Est dans une série d'articles documentés susceptibles de déboucher sur la publication d'un livre. Sans le savoir, il m'évita une multitude d'ennuis. Le lendemain, je reçus un appel téléphonique vers huit heures du matin à la maison de chambres où je résidais. C'était Théo. Je fus surpris de la facilité avec laquelle il avait trouvé mon numéro.

— Alors, Ricky? On écrit des livres maintenant? me demanda-t-il.

— Pas dans l'immédiat, mais ça va venir… Un livre où je ferai la part des choses, le positif et le négatif. Pas du sensationnalisme…

— Eh bien! Je te le dis tout de suite: y en aura pas de maudit livre ni de maudits articles sur notre belle cité, reprit-il en s'étouffant presque.

— Parlons-en de la belle cité! J'y ai cru moi aussi. Elle n'est pas prête de sortir de son bourbier. Oui, j'y ai cru. Et toi, je t'ai pris pour un homme de parole. Or, tu m'as forcé à résilier notre contrat par des menaces et tu t'es probablement arrangé pour foutre le feu à la cabane afin de te débarrasser du journal… D'abord, je ne suis plus ton employé. Et la liberté de presse, qu'en fais-tu? rétorquai-je en le tutoyant sur un ton grandiloquent et assez enfantin que je trouvai peu convaincant.

— Tu sais ce que j'en fais de ta liberté de presse-citron de *marde*? J'ai dit qu'il n'y aurait ni livre ni articles. Compris?

— Je ferai ce que je veux…

— Comme tu veux. J'en parlais justement ce matin avec de vieux amis. D'ailleurs, ils voudraient te rendre visite. Jette simplement un œil par ta fenêtre…

Je me penchai. Du premier étage où se trouvait ma chambre, je vis, stationnée devant la maison, une grosse Oldsmobile noire entourée de Charlie Lagoose et de trois «babouins» empâtés dont l'un se curait ostensiblement les ongles avec un couteau à cran d'arrêt malgré le froid. Il s'agissait de toute évidence d'une manœuvre d'intimidation.

— Et tu penses que tes *goons* vont forcer ma porte ce matin et me faire la *job*? répondis-je à Théo.

— Ce matin, peut-être pas, mais ils ont tout leur temps et, dans l'intervalle, bien des affaires peuvent arriver... À toi de choisir. Je veux bien que tu écrives des choses amusantes ou bizarres sur la Rive-Sud, mais rien de politique, pas de livre, pas d'articles sur l'administration municipale de notre ville... J'ai besoin de ta promesse. Il y a devant chez toi un petit restaurant, The Yellow Rose of Kostas, tenu par un certain Phrixos Kostas, un Grec, n'est-ce pas ? Tu vois que je suis bien renseigné. Dans cinq minutes, Charlie Lagoose va m'appeler du téléphone public du snack. J'ai besoin de ta réponse...

Le bougre me tenait. Décidément, je ne pouvais me mesurer à lui. J'étais révolté car le « Mero mero » remportait une fois de plus la victoire.

— OK Théo. Pas d'articles sur la ville ou la politique municipale, lâchai-je d'un ton las.

— Je savais que l'on pourrait s'entendre. À la revoyure ! dit-il en raccrochant.

Je vis alors Lagoose se diriger d'un pas pesant vers le restaurant de Kostas, revenir, monter dans la grosse voiture avec les babouins et s'en aller. Théo n'avait rien laissé au hasard.

Je me retrouvai donc à la case zéro, avec des sujets de reportages qui n'intéressaient guère le Réseau international de Radio-Canada, comme la minisecte du Saint-Graal, des illuminés arriérés qui vivaient comme au Moyen Âge dans une maison sans électricité, ou encore Arthur Poulin, l'homme hémostatique qui se vantait de faire cesser les épanchements de sang des blessés mieux que les ambulanciers, qui mettaient plus de temps que lui pour arriver sur les lieux des accidents. On trouvait de tels guérisseurs dans d'anciennes chroniques et dans les légendes paysannes d'Europe.

Il y avait aussi madame Blanche, une vieille tireuse de cartes fort sympathique et handicapée qui se mettait en transe et faisait des prédictions en latin classique. J'avais enregistré ses prophéties délirantes sur un magnétophone Telefunken emprunté et les avais soumises à l'un de mes anciens professeurs, un religieux érudit, qui m'assura que le latin de la voyante était parfait, ses déclinaisons impeccables et que sa prononciation était celle en usage vers l'an 400 de notre ère. Le plus curieux était que Mme Blanche Gagnon, une Québécoise pure laine venant d'un milieu très modeste, affirmait ne pas avoir dépassé la première année du cours secondaire. Cette femme me fascinait même si, en ce qui me concernait, ses prédictions ne me promettaient pas l'impossible ou des événements incroyables, contrairement aux autres devineresses de son genre.

Faute de faire du journalisme «d'enquête», je me servais de ceux que j'appelais mes «toqués» de la petite Cour des miracles locale pour rédiger des histoires anecdotiques qui paraissaient dans *L'Hebdo de Montréal*, dont le rédacteur en chef, un vieux journaliste jouisseur au passé tumultueux, y terminait sa carrière en acceptant mes articles de manière fantasque. Ayant abandonné mes études faute de fonds, je me faisais lentement absorber par cette population marginale que j'avais tant voulu défendre. Je me faisais de singuliers amis. Ainsi, Poulin, l'homme hémostatique, me proposa un soir de beuverie la virginité de sa fille de 15 ans en échange d'une caisse de grosses bières. Je fus horrifié par cette marque d'amitié que j'eus préférée moins sordide. J'étais amoureux de Suzal et profiter de l'offre de ce père pervers me dégoûtait profondément. De toute façon, sans jouer les incorruptibles et les vertueux, tout comportement dégradant sur une mineure risquait de conduire le délinquant droit en prison avec la possibilité de recevoir, racontait-on, un certain nombre de coups de fouet.

Le temps de Gore prit fin et les faiseurs d'élection
eurent bon jeu. On assista à des élections provinciales
particulièrement sales. Les visages de salopards massifs
s'affichèrent aux quatre coins de la ville, bourrèrent
les urnes, bousculèrent les gens. On brûla des voitures
et on en parla à Québec! Les abbés Gérard Dion
et Louis O'Neill publièrent un texte très critique
contre l'Union nationale de Maurice Duplessis et ses
méthodes. Des prêtres se liguèrent contre le pouvoir
dictatorial. Rien n'y fit. Notre tyran fut élu pour la
cinquième fois. «Les maudits *communisses*, les O'Neill,
les Dion, font pas peur à Maurice, qui nous bénit nos
ponts!» chantaient les adeptes. Toutefois, Harwood-
Martin disparut de la carte politique.

Lorsque Gore fut battu aux élections municipales,
Théo ne fut pas élu, mais un certain Arcade Camirand,
qui promit d'installer des trottoirs attendus depuis des
lustres. Comme d'habitude, le travail fut très étalé et
lorsqu'on avait le plaisir de marcher quelques pieds sur
une partie pavée, on avait également la déconvenue de
replonger ses bottes dans la boue un peu plus loin. Près
de 200 avis de démolition de taudis parvinrent aux
propriétaires de *shacks* mal implantés, dont la réputation s'étendait jusqu'à Québec. Près de la moitié des
propriétaires obtempérèrent, espérant pouvoir au
moins vendre leur terrain pour récupérer leur mise de

fond. D'autres, qui possédaient quelques économies ou un travail à peu près stable, avaient bon espoir de reconstruire ou d'améliorer la structure de leur habitation. Un règlement interdit l'usage du triste papier goudronné imitant la brique ou la pierre, qui fit fureur dans les quartiers défavorisés des années 1930 à 1950. Camirand pavoisa et, dans un effort de publicité primitive, fit écrire peu discrètement son nom à la peinture sur les tronçons de trottoirs construits.

Mais de tout ça on ne pouvait parler, pas plus que de la confirmation comme échevin de Théo Robidas, le «Mero mero» qui défiait Arcade Camirand. Il avait atteint son objectif. Il voudrait promettre la libéralisation des permis de tavernes – ce qui provoqua la fureur du clergé. Puis il promit, lui aussi, la construction de trottoirs et l'amélioration du réseau d'égouts. Malgré son désir de pouvoir et de profit, Théo rêvait d'une ville de bungalows proprets comme dans le West Island de Montréal et ne se réjouissait pas – il faut lui rendre justice – de la chienlit qui durait depuis tant d'années dans sa ville.

Je lui rendis visite à son bureau. Il m'accorda audience avec la simplicité d'un homme d'État populiste. Une plaque de cuivre trônait sur son pupitre. On pouvait y lire en anglais cette phrase grinçante : «Ne frappez jamais un homme à terre. Il pourrait fort bien se remettre sur pied...» Il exultait et était fier de son coup.

— Qu'est-ce que t'en dis ? me demanda-t-il en me montrant la plaque.

— C'est tout toi, Théo, c'est tout toi, répondis-je en riant de bon cœur.

— Ah ! les *tabarnaques*... Ils m'ont donné bien du trouble mais j'ai gagné, et maintenant, on va faire du bon travail... Surveille-moi bien : je deviendrai le nouveau maire, un Huey Long. C'est mon idole...

— Qui est ce monsieur ? m'enquis-je en admettant mon ignorance.

— Un ancien gouverneur de la Louisiane et sénateur des années trente qui a fait de grandes choses pour son État sans s'enfarger dans les fleurs du tapis et sans écouter les *do-gooders*. Il a construit des ponts, des hôpitaux, des écoles. Je ne suis pas un *liseux* mais j'ai étudié son système et, quand je suis passé à Bâton-Rouge, j'ai roulé sur l'un des ponts qu'il a construits. On appelait ce gouverneur le «Kingfish»...

— Et qu'est-il devenu ?

— Un maudit fou l'a assassiné en 1935, mais moi, je suis prêt à ne pas me laisser faire, dit-il en sortant un imposant revolver de l'un de ses tiroirs. C'est un Smith & Weson .38 Special. Et j'ai le même dans mon Cadillac… Qu'ils viennent donc, les chiens sales! De toute façon, on tire moins vite ici qu'aux *States*, mais faut tout prévoir.

Je reculai face à ce corpulent cow-boy et à son arme. On était de retour dans l'Ouest sauvage. Il reprit:

— Comme Huey, je défendrai toujours le «petit monde». Le patronage politique des autres n'y changera rien. Les persécutions non plus. Il faut que la vie des gens de Longueuil-Est devienne endurable, décente et respectable. Si on arrive à faire ça, on ne m'entendra jamais me faire aller la gueule… *That's it, that's all…*

— Ce devrait être aux gouvernements d'aider les citoyens défavorisés, pas aux politiciens municipaux…

— Seulement voilà, quand le gouvernement donne un petit pain aux pauvres, il leur donne ensuite à porter un sac de cent livres de farine sur leurs épaules pour le restant de leurs jours! Et puis, il y a tous ces maudits syndicats pourris… Faut trouver des moyens plus directs. Je les trouverai, dit-il en frappant du poing sur son bureau. En attendant, je réfère de plus en plus les pauvres au Bien-être social, puisque c'est une agence de la Ville. En plus, je me fais des supporters, des amis qui savent que je suis disponible en tout temps.

— Ce qui revient à leur donner ce petit pain que tu dénonces! Il n'y a vraiment rien à comprendre dans ta logique…

Tandis que j'écoutais ce singulier énoncé d'économie politique locale, je me disais que, malgré sa ruse, j'avais en face de moi un vrai démagogue populiste issu de la Grande Dépression de 1929 en version années cinquante. Il critiquait l'aide gouvernementale mais en profitait et fonctionnait abondamment avec le jeu des subventions. Il ne perdait pas de temps. Le «Mero mero» fit rapidement le tour des dossiers, tripota le financement de l'Organisation des terrains de jeu, ordonna des travaux sur l'usine de filtration, le garage municipal, la mairie et les projets domiciliaires. Il fit le généreux et s'arrangea en tant qu'échevin pour faire creuser par l'administration municipale une piscine «pour les pauvres». Il faut l'avouer: en plus de lancer des billets de dix dollars à la messe, il se montrait compatissant pour les nécessiteux; il se souvenait de ses origines modestes et de la disette des années trente. L'idée n'était pas bête : plus les constructeurs s'ébrouaient, plus l'argent circulait et engendrait quelque profit à faire. On compta cette année-là plus de mille permis de construction. Quand le bâtiment va, tout va. Notre bon pharmacien gauchisant, le Dr Wilbrod Leblond, avoua même que Théo faisait œuvre utile, «même s'il est un drôle de moineau». Mais comment se fier à ce provocateur qui était contre ce qui était pour et pour ce qui était contre ?

Après avoir été le louangeur du juge Harwood-Martin, le duplessiste, Théo avait mis sa machine électorale au service du candidat libéral de Chambly. «Peu importe le râtelier tant qu'il contient du fourrage», disait mon oncle Sylvain, un éleveur de chevaux de trait. De plus, le «Mero mero» retourna habilement une poursuite pour corruption lancée par trois entrepreneurs pour des travaux de démolition sur une propriété qui appartenait à un individu faisant partie du monde clandestin et vivant au Mexique. Frappant un grand coup, Théo paya le voyage du juge au pays des Aztèques pour que le magistrat puisse comparer des documents et arrosa des gens influents de billets de base-ball des Royaux de Montréal, une équipe sur ses dernières années d'existence. Les entrepreneurs, eux-mêmes plus ou moins véreux, furent neutralisés. On ne touchait pas à Monsieur-l'échevin.

— Les écœurants, commenta Théo lors d'une autre de mes visites à son bureau. Ce n'est pas demain qu'ils vont m'organiser le portrait! Mais excuse, le temps passe. Je dois descendre à Québec...

Et voilà que, dans une gloire de poussière et de caout-chouc brûlé, Théo fila vers la Vieille Capitale le pied au plancher et l'atteignit en un peu plus de deux heures. C'était un exploit, car il fallait prendre les routes 116 et 132 et passer par un tas d'agglomérations. Il courtisa le gouvernement provincial, mais aussi le fédéral et ne ménagea pas ses voyages à Ottawa.

Que de travaux à entreprendre! Tenter de légaliser les tavernes par un référendum, car ces établissements étaient interdits par un règlement de tempérance datant de 1910; se débarrasser définitivement des chiens errants autrement qu'à coups de fusil ou en les gazant dans une caisse reliée au tuyau d'échappement d'une voiture de police – on en avait tué des milliers ainsi – et, évidemment, paver les rues. Éternelle rengaine. J'étais interdit de reportages sur de telles questions par Théo et me contentais d'anecdotes pittoresques du genre «Madame Blanche». Je pensai changer de région, mais Longueuil-Est était une extra-ordinaire foire, un formidable bouillon de culture. Où aurais-je pu trouver ailleurs des gens aussi étonnants qu'une voyante latiniste sans le savoir, un activiste néomarxiste et teigneux prêt à changer le monde, un ancien détenu sans éducation qui vous citait du Queneau et du Jacques Cœur, ou même un pépiniériste au nom de roman de science-fiction, Merlin Yxythor, conseiller municipal et admirateur de la nouvelle secte des Apôtres de l'Amour infini ? Et puis il y avait Suzal, avec qui je communiquais toujours et sur qui, en dépit des dangers que sa fréquentation pouvait m'occasion-ner, je fondais des espérances. Quitter Longueuil-Est aurait fait à mes yeux figure de désertion et ces visites insensées à un Théo qui avait mieux à faire qu'à perdre son temps avec moi avaient un aspect aussi masochiste que complice.

Tiens ! Tiens ! J'appris que Le Pirate, propriété de Théo, avait brulé dans de mystérieuses circonstances. Les palmiers en plastique avec leurs petits singes en peluche avaient dû alimenter le brasier. Curieux, mais cet établissement semblait tourner rond… De toute façon, cet incendie ne constituait qu'un fait divers dont je ne saurais parler sans représailles mais, une fois de plus, le feu arrangeait bien des choses et semblait être un

élément de gestion contre lequel les experts en sinistres
– ou «ajusteurs» – paraissaient être sans recours.

J'en avais assez de tous ces trafics d'influences et de
la corruption massive qui me dépassaient et étaient
aussi ennuyeux que les 800 pages de comptabilité
fastidieuse du fonctionnaire Elphège Landille. Je
croyais pouvoir faire quelque chose pour cette ville,
apporter ma brique à l'édifice et j'étais tombé dans
leur fange en devenant le faire-valoir d'un gros légume
qui se prenait pour un dictateur sudiste du temps de
la Grande Dépression. Oui, il y en avait assez de leurs
organisations secrètes, de leurs combines répugnantes.
Il fallait passer à autre chose.

Chapitre 13

Malgré mon dégoût, je me retrouvais à faire un scoop malgré moi dans une municipalité proche de Longueuil-Est et administrée de manière aussi singulière. M'étant arrêté pour faire le plein de ma voiture et pris d'une soif soudaine, j'avisai non loin de là un motel de petites cabines en bardeaux de cèdre faisant aussi restaurant. Deux femmes de couleur discutaient en anglais avec un fort accent jamaïcain, et l'une d'elles – probablement la patronne – me servit à regret, absorbée qu'elle était dans sa conversation. Alors que je m'empressais de boire mon Coke dans ce lieu maussade, les yeux perdus dans mon verre, j'entendis soudainement un hurlement effroyable : c'était l'une des commères qui ne savait que répéter *The children! Help!* – « Au secours! Les enfants!» – en montrant l'une des cabines en flammes. Je compris que cette dernière abritait sa progéniture.

Je me précipitai vers l'incendie, mais la chaleur m'empêcha d'approcher de la porte qui, m'avait mentionné une des femmes, était de toute façon fermée à clé! J'eus soudain l'idée de la défoncer en me servant de ma vieille voiture comme d'un bélier, mais en dirigeant au ralenti mon véhicule vers la cabane, je notai que le pare-choc n'atteignait que les marches de bois, et non la porte de la structure et que les flammes léchaient ma calandre. Mon tas de ferraille, dont je venais de remplir le réservoir, n'aurait de toute façon fait office que de bombe dans ce brasier. À mon grand regret comme à celui des badauds qui s'étaient arrêtés, je ne pus jouer les héros à moins d'être suicidaire, car il n'y avait aucune chance de réussir quelque manœuvre de sauvetage que ce fût sans équipement spécial. Le commis de la station-service voisine avait appelé les pompiers qui mirent plus de quarante minutes à arriver. Il s'agissait de volontaires. Ils ne purent qu'arroser les débris d'un jet intermittent et ramasser les restes carbonisés des deux enfants qui avaient fait leur dernière sieste dans cette cabine infernale. On apprit plus tard que c'était une chaufferette à mazout défectueuse qui avait causé l'incendie et enflammé la structure en bois comme une torche, à une vitesse phénoménale.

Ayant eu le réflexe de saisir au vol des photos de cette catastrophe, je n'eus pas de mal à les vendre à *Montréal-Hebdo* qui en fit sa première page en blâmant la mauvaise administration de certaines villes de la banlieue sud, dépourvues de services publics adéquats.

Tout comme le photographe de *Métropole Confidentiel*, j'étais devenu également une sorte de vautour, à la différence près que je n'avais pas pris de photos de la mère éplorée ni de la tante des petites victimes.

J'eus ma minuscule heure de gloire. Tout le monde ne peut être témoin de l'embrasement du dirigeable Hindenburg. Ce triste événement m'attira la jalousie de concurrents. L'un de ceux-ci, une vermine capable de n'importe quoi pour se faire remarquer et qui avait ses entrées dans un poste de radio local, fit un commentaire moralisateur critiquant le fait que j'avais osé prendre des photos. Dans un style hypocrite et faussement édifiant, il blâmait également le *Montréal-Hebdo* dont le rédacteur en chef timoré dut rendre des comptes à son grand patron. En conséquence de ces bisbilles internes, je me retrouvai dorénavant exclu de la liste des collaborateurs. Pour se défendre, le vieux jouisseur avait lâchement tiré sur le pigiste.

Telles étaient les règles d'un journalisme capable de retenir l'attention du public lorsqu'on n'était pas protégé par un grand média. Mes confrères à plein temps pouvaient traiter de sujets sortis des télescripteurs, pour lesquels une vaste information était disponible auprès des sociétés, de la police, des organismes, des partis politiques et des ambassades. Voilà qui était plus reposant. Bien payés, s'ils se distinguaient quelque peu, on les complimentait. Le pigiste ramasse ce qu'il peut et a toujours le mauvais rôle. Mais j'en étais là.

C'est à Montréal, «en ville», que je retrouvai Valmy Lapierre. Plus fulminant que jamais, il m'annonça avoir vendu des articles «révolutionnaires» à des publications marginales de gauche. Voulant en savoir davantage, je l'en félicitai et nous allâmes prendre un café.

— Comme ça le *Phénix* n'est pas ressuscité de ses cendres? ironisa-t-il. Théo a brûlé les plumes du bel oiseau? Hé… Hé…

— Il faut croire que l'oiseau n'était plus payant pour lui…

— C'est ça, la société capitaliste. On utilise les gens et quand on n'en a plus besoin, on les envoie promener et on *crisse* le feu à la cabane. Je vous avais prévenu… Vous vous pensiez malin avec votre gros *boss* entrepreneur et pseudo-générateur de progrès, qui fait financer les panneaux «stop» des coins de rue par la boulangerie Veston, la même qui distribue du pain rassis aux miteux de la ville à grand renfort de publicité. Au lance-flammes tout ça! Ils n'hésitent pas à brûler. Il faut riposter par les mêmes armes. Comme dans l'Antiquité, dressons un bûcher funéraire et jetons-y les ennemis du peuple, morts ou vivants ! répliqua-t-il l'air halluciné en exhalant ses habituels relents.

— Ne pensez-vous pas qu'il y a eu assez de flammes comme ça ? Vos théories révolutionnaires ne sont pas réalistes, mais romantiques, même si elles partent de bonnes intentions.

— Non, car c'est le feu du peuple qu'il faut attiser pour cautériser toute cette pourriture. Personnellement, je demeurerai fidèle à mes idées. Il n'y a pas d'action révolutionnaire sans théorie révolutionnaire et je compte toujours y adhérer et faire preuve d'intégrité. Vous n'avez pas encore compris ? Vous vous êtes fait fourrer, embrocher jusqu'à la garde par tous les beaux parleurs. Regardez cette maudite ville. Trouvez-vous qu'on y a accompli des progrès depuis que vous y traînez vos bottes ?

— On aime ou on n'aime pas Robidas, mais il a enfin fait reprendre sérieusement les travaux publics et on lui doit des gestes charitables. Ce n'est pas un ange – j'en sais quelque chose –, mais il réalise davantage de travaux que ses prédécesseurs.

— En s'engraissant par la même occasion. Il a attendu plusieurs années dans l'ombre pour ce jour et il a triomphé. On l'appelle le «Mero mero», un mot qui, en espagnol, veut dire gros bonnet mais également chef de gang. Et puis, il se réclame d'un ancien fasciste américain, Huey Long, qui avait au moins l'avantage d'être avocat.

— Oui je sais, je me suis renseigné. Huey Long est son idole. Disons que Long n'a jamais été fasciste ; plutôt un populiste et un escroc, comme Robidas l'est. Et, comme lui, il a fait avancer des dossiers, même la cause des Noirs, jusqu'à ce qu'un exalté l'assassine. Valons-nous mieux que les Louisianais qui votaient pour Long, des gens comme nous, dont une partie sont des descendants de nos déportés acadiens ?

— Les Cajuns, comme les Noirs et nous, sont des exploités sur ce continent américain capitaliste vampire ! Ce sont nos alliés. Et nous nous libérerons ensemble ! affirma-t-il. Il faut être rusé et utiliser les armes de l'ennemi. Écoutez-moi bien : je percerai dans les grands journaux et revues et y ferai un travail de sape pour servir notre idéal. Et ils ne s'apercevront de rien. Je ne serai pas le seul. Nos militants et moi convaincrons ainsi notre peuple, qui est prêt à accepter de nouvelles idées. Ces temps nouveaux ne sont pas loin…

— Je ne suis pas si convaincu que nos gens sensés, qui vous affirment prudemment qu'on sait ce qu'on perd mais qu'on ne sait pas ce qu'on trouve, vont prendre leurs fusils comme les patriotes de 1837-1838 pour s'assurer des lendemains qui chantent. Ce n'est pas dans les habitudes de nos populations. Il faudrait vraiment des conditions extrêmes…

— Vous verrez, vous verrez. Vous êtes vous-même une victime du système et parfaitement aveuglé, trop occupé que vous êtes à vous sortir de votre bourbier, comme la plupart de nos malheureux, conclut-il d'une voix étranglée en me quittant.

Ce fut notre dernière rencontre. Je le perdis de vue pendant plusieurs années, jusqu'à ce qu'il devienne une vedette de l'actualité, parlant haut à la radio, à la télé et dans les grands organes d'information qui lui accordaient une place de choix ; puis il devint une bête traquée par différents corps policiers pour incitation à des actes terroristes.

Je retrouvai mon terrain de chasse favori, la Rive-Sud, et mon ami Florian Perreault qui était devenu ingénieur. Il travaillait avec DuGermain et Astonghiglia. Nous n'étions plus dans les mêmes ligues. Je pourrais dire que je n'étais plus dans aucune ligue du tout tant il était devenu prospère. Il ne me le fit pas ressentir mais on sentait chez lui de la condescendance voilée. Il me glissa en riant la carte de Leilah Soutab, qui tenait désormais une boutique de mode sur une des rues transversales de Sainte-Catherine Ouest. Ça s'appelait Sapho's Dream. Était-elle devenue lesbienne? En tous cas, la fripe semblait être son élément. Perreault me signala que je devrais passer lui dire bonjour. À quoi bon? Je mis néanmoins la carte de la Libanaise dans mon portefeuille.

Ma correspondance enflammée se poursuivit avec Suzal, qui défiait la surveillance des sœurs des Saints-Stigmates, vieillissait en sagesse et poursuivait ses études. N'ayant pas de domicile fixe, elle ne pouvait me joindre au téléphone et m'écrivait chez Big Moose. La surveillance de Butch Dulac semblait s'être atténuée, surtout après ma disparition temporaire dans les exploitations agricoles de l'Ontario. Nos sentiments étaient d'un romantisme et d'une candeur incroyables. C'était pour elle la prolongation de sa passion pour la musique et, pour moi, Suzal était la seule belle chose de ma vie. Pendant combien de temps pourrions-nous maintenir cette relation quasi platonique d'une autre époque?

À Longueuil-Est, je fis une visite de politesse à Théo, qui avait troqué ses chemises noires et ses costumes rayés de *torpedo* ou exécuteur du Chicago des années trente pour des complets italiens en soie moirée. Il était fier des résultats accomplis : le pavage des trottoirs allait bon train et, désormais, pour abattre la poussière, on répandait dans les rues de l'huile de vidange à dix sous le gallon au lieu des liquides de vieux transformateurs électriques, pleins de BPC. La construction avait repris. On pouvait se procurer un bungalow à moins de 12 000 dollars avec 150 dollars comptant. En somme, la vie continuait, même s'il faudrait encore des années et l'annexion de Longueuil-Est pour qu'elle ressemble à une banlieue convenable.

Triste nouvelle : après avoir disparu pendant un mois, on apprit que l'on avait retrouvé Jean-Guy Pedneault, mon ancien informateur au couteau à cheddar, errant sans but dans la ville, marqué de coups et incohérent. Il avait été séquestré, battu et sonné comme un boxeur malchanceux. Il semblait pourtant avoir rebondi en organisant ses « marches priantes » pour lesquelles il fallait s'inscrire avec la promesse de gagner une voiture. Ses escroqueries avaient-elles mal tourné ou avait-il payé à retardement pour de vieilles histoires comme les photos au Minox de la maison d'Harwood-Martin ? Son père, le propriétaire des Trois petits cochons, ne voulait rien savoir de lui. Aussi, véritable loque humaine, mon informateur d'un moment avait-il été recueilli par son ami Dan, qui avait eu aussi droit à sa part de sévices. Ils survécurent grâce à un petit atelier qui imprimait des cartes de visite, des napperons de restaurants et… des bulletins paroissiaux. On imprime les nouvelles qu'on peut. Une chose est certaine : elles ont au moins l'avantage de n'avoir rien de dangereux pour les autorités en place.

On apprit aussi le meurtre de Sandy Carson, le roi des faiseurs d'élection de Théo et le gérant d'une de ses sociétés immobilières. Le visage menaçant de l'ancien lutteur était craint dans le milieu. Théo regretta la disparition d'un « grand bâtisseur », si l'on considérait les battes de base-ball comme des outils de construction. Mais qui, au fait, avait réglé le compte de Carson ? On l'avait retrouvé à moitié enterré, le crâne défoncé à coups de marteau, dans un terrain vague de la région. Il se serait montré trop gourmand, mais envers qui ? Inutile de dire qu'il valait mieux éviter de parler de cette affaire si l'on tenait à demeurer en bonne santé. Un détective de la Police provinciale m'avait prévenu. À bon entendeur, salut !

Suzal avait réussi à endormir la vigilance des sœurs des Saints-Stigmates grâce à de fausses lettres d'autorisation de sortie sur papier à lettre de son oncle, qu'elle se débrouillait pour faire parvenir par mes soins à la sœur supérieure du couvent. Je fus évidemment la « boîte aux lettres » de ces fausses autorisations que je pris garde, bien sûr, de poster de Longueuil-Est. Cela nous permit de nous retrouver et de nous promener dans le bois du bout de l'avenue du Mont-Royal et dans le cimetière adjacent. Nous jouions avec le feu et traînions aussi dans le quartier de la Côte-des-Neiges, dans de petits restaurants fréquentés par les étudiants de l'Université de Montréal. Notre amour augmentait à chaque promenade et le danger de l'interdit donnait du piquant à l'aventure. Elle prit d'ailleurs les devants.

— Je vais essayer de m'évader pour une fin de semaine. Deux jours avec toi, ce serait formidable, me dit-elle résolument.

Je fus horrifié !

— Y as-tu vraiment pensé ? Avec cette surveillance presque policière dont tu es l'objet ? Il s'agirait d'une initiative périlleuse pour nous deux. Ne serait-ce pas forcer le destin ? Les conséquences pourraient être terribles…

— Je m'en moque, tant que je suis avec toi… Ne connais-tu pas un endroit tranquille où nous pourrions nous réfugier ?

— Lorsque j'en ai les moyens, j'aime me rendre les fins de semaine chez un vieux copain qui a hérité de l'auberge de son père, au lac des Douze-Îles, dans les Laurentides, mais…

— Alors tout s'arrange. On pourrait y passer deux jours en amoureux.

— Ce serait mon plus cher désir. Cependant, imagine les répercussions. Si jamais notre secret s'évente et que Théo l'apprend, nous ne pouvons qu'anticiper le pire. Ne vaut-il pas mieux, pour ton avenir, pour ta carrière, nous borner pour le moment à ces quelques heures interdites en ville ? Et avec Dulac comme chien de garde, on ne sait jamais… Pourquoi prendre de tels risques ?

— Pour mettre notre amour à l'épreuve et défier mon oncle.

— Il est comme il est, mais ton oncle est bon pour toi, même si la protection qu'il t'impose est ridicule. Allons-y prudemment. Le temps peut arranger bien des choses. Une escapade de quelques heures reste anodine, mais toute une fin de semaine, cela laisse la place à toutes les suppositions… Moi aussi je serais ravi de vivre quelques jours avec toi, même au risque de me retrouver avec un couteau sur la gorge. Tu es ma seule raison de vivre. Mais il doit exister d'autres moyens…

Elle se blottit contre moi en tremblant.

— Je ne suis pas ingrate et même reconnaissante envers mon oncle pour tout ce qu'il fait pour moi, mais vu ses origines et son passé, il est inflexible et n'a de respect que pour l'argent, peu importe sa provenance. Tu serais un type comme le défunt Carson qu'il serait impressionné. Il ne manifeste de bons sentiments que lorsqu'ils lui rapportent directement, en argent et en pouvoir. On ne peut lui en vouloir. Il a eu une jeunesse difficile et veut me marier avec quelqu'un de riche. À part cela, je dirais qu'il est une sorte d'anarchiste…

— D'anarchiste ? Drôle de libertaire pour un partisan de la loi et de l'ordre duplessistes ! Je crois surtout qu'il est n'importe quoi tant que cela sert ses intérêts. Il est très malin et penche toujours du côté le plus fort… Sais-tu que pour dénoncer mon contrat de travail, il m'a laissé entendre que cela lui aurait coûté moins cher de me faire liquider, « pluguer » comme il dit ?

— Il t'aimait bien, tant que tu ramais dans sa direction et que cela faisait son affaire. J'ai entendu des conversations. Le journal ne devait servir qu'a faire élire Lucien Gore et à rapprocher ainsi Théo de l'hôtel de ville. Lorsque cet objectif a été atteint, même si cet hebdo aurait fini par être rentable, il ne voulait plus s'ennuyer à perdre du temps avec des commerces qui prospèrent tranquillement alors que le ciment, le bitume et les combinaisons politiques rapportent davantage. L'incendie a certes fait son affaire…

— Un incendie fort à propos, en effet, comme ceux de trop de commerces en difficulté…Celui-là n'a pas été seulement une perte d'emploi pour moi, mais c'est que je l'aimais ce journal. Je m'étais attaché à cette risible gazette et à mes collaborateurs, qui étaient aussi candides que moi. J'avais fondé de grands espoirs sur cette entreprise…

— Oublie tout ça et ne pensons qu'à nous deux…

— Et que puis-je t'offrir sinon des rendez-vous clandestins avec l'épée de Damoclès de Théo suspendue au-dessus de nos têtes? Nous vivrons toujours dans la terreur d'un dénouement fâcheux, à moins d'en arriver à une entente avec ton oncle…

— … Malheureusement improbable dans l'immédiat. En attendant, il faut vivre notre vie, peu importent

les dangers que nous courons. Les choses s'arrange-
ront peut-être par la suite…

J'admirais son optimisme et osais même y croire.
Nous vivions notre amour au jour le jour. Au Cercle
des journalistes de Montréal, que je fréquentais grâce à
mon ami Sendersen, je tombai sur Jean-Edgar Dugré,
le rédacteur en chef du *Héraut*. En fait, il ne l'était
plus car on lui avait offert un poste dans un nouveau
journal destiné à concurrencer les grands quotidiens
français de la métropole, dont le tabloïd *trash Montréal-
Matin*, piédestal de l'Union nationale.

— Tiens, tiens… Le jeune homme du *Phénix de
la Rive-Sud* et de ses scoops flamboyants, le porte-voix
de l'honorable Théo Robidas… Comment vont les
affaires ? ironisa-t-il.

— Pas très fortes et vous le savez fort bien,
répliquai-je.

— Il aurait fallu que vous veniez me voir au *Héraut*,
reprit-il. Récemment, il y avait une place de libre pour
un jeune rédacteur entreprenant et audacieux…

— Et vous croyez que la direction m'aurait donné
ma chance ? Moi qui ne suis pas de l'Organisation,
ne fais pas partie de ses «frères» ? Moi, un ancien

employé de Robidas ? Allons, allons ! Ne me racontez pas d'histoires.

— Et de quelle «organisation» voulez-vous parler ? me demanda-t-il de manière hypocrite.

— De *La Gamique*, dont vous êtes l'un des chefs, mais dont personne n'ose parler ouvertement. De toute façon, les sociétés secrètes ou occultes m'emmerdent souverainement. Je préfère faire cavalier seul. Mon verre est petit mais je suis seul à y boire…

— Une portion fort acceptable, semble-t-il… Justement, je parlais de vous avec mon ami Arthur Seater, l'échevin de l'île Jésus.

— Comme par hasard ! Ainsi, vous vous préoccupiez de mon avenir et vous inquiétiez de mon parcours professionnel, mais à quel titre, dites-moi ? Vous vouliez sans nul doute m'ensevelir sous des propositions des plus avantageuses. Ne me racontez pas de boniments, M. Dugré. Vous me faites penser aux administrateurs du magazine anglais *Manning's* qui me proposaient, lorsque je les attaquai pour leurs inepte reportage sur Longueuil-Est, de me faire collaborer au magazine de langue française qu'ils devaient, prétendaient-ils, lancer prochainement… C'est curieux combien on peut rater de bonnes occasions dans la vie, n'est-ce pas?

— … Et de bonnes occasions de se taire. Je vous trouve décidément un peu trop assuré pour un chômeur! Le monde de l'information est petit. Nous risquons de nous rencontrer à nouveau…

— Je n'en doute pas, mais surtout je me garderai de vous demander quoi que ce soit et ce sera mieux ainsi.

L'air renfrogné, il me quitta de son habituel pas d'ecclésiastique défroqué, écartant du pied une soutane imaginaire.

C'est vers cette époque que je découvris un des curieux personnages de la ville, Joseph Lacasse, qui me confia ses malheurs. Propriétaire d'une maison en papier-brique située sur un terrain assez grand, il risquait de perdre sa propriété pour défaut de paiement. En effet, il ne parvenait pas à joindre les deux bouts et était tous les soirs menacé par une voix sinistre au téléphone. Cela se déroulait, me raconta-t-il, aux alentours de minuit. Peu porté sur l'ésotérisme, j'en conclus que ce monsieur abusait peut-être un peu trop du jus de houblon de la famille Molson ou qu'il avait l'esprit dérangé. Je lui conseillai donc de demander à la compagnie de téléphone de surveiller sa ligne. Malheureusement, même si cette dernière avait accepté, après maintes réticences, il semblait que l'interlocuteur importun ne restait pas suffisamment longtemps en ligne pour se faire repérer à travers le dédale des commutateurs pas-à-pas des centrales téléphoniques. Une fois la conversation amorcée, encore fallait-il pouvoir alerter les autorités pour qu'elles fassent le nécessaire.

Lorsque M. Lacasse m'invita un soir à venir décrocher sa ligne pour écouter son tourmenteur, c'est non sans hésitation que je me rendis à sa demande. Je trouvais qu'il s'agissait d'un bon fait divers pour dénoncer les harceleurs téléphoniques contre lesquels les citoyens avaient bien peu de recours. En effet, certains désaxés laissaient souvent leur victime décrocher, puis ne raccrochaient pas, bloquant la ligne et les abandonnant dans l'angoisse suffisamment longtemps pour les menacer. Le temps de demander du secours à partir de l'appareil d'un voisin et le malfaiteur avait raccroché. Parfois, d'autres bloquaient des lignes en appelant du poste d'une société qu'ils utilisaient sans autorisation les fins de semaine ou le soir. De là à accuser le personnel de ménage, il n'y avait qu'un pas, mais les enquêtes ne donnaient guère de résultats. Les lignes pouvaient rester paralysées des heures entières.

À minuit pile, l'appareil sonna et je décrochai. Une voix sinistre m'interpella, comme si elle avait passé par un dispositif d'effet spécial qu'à la radio on appelait un « filtre ».

— Ah! Ah! Monsieur Sanscartier. C'est à Lacasse que je veux parler…

— Qui êtes-vous? Comment avez-vous deviné que c'était moi? S'il vous plaît, cessez d'ennuyer M. Lacasse. Autrement…

— Autrement quoi? Vous ne pouvez rien contre les forces du destin. Lacasse n'est pas au bout de ses peines, je vous l'assure…

— Je ne crois pas à vos simagrées. On vous retrouvera…

— C'est ce que vous vous imaginez. Lacasse doit expier; il sait pourquoi… Je lui reparlerai une prochaine fois. Salut!

Puis, il raccrocha. Sans doute l'une de ces mauvaises plaisanteries, mais lorsque Joseph Lacasse m'appela quelques jours plus tard pour me dire que la «voix» lui avait annoncé la perte de son emploi et qu'il avait effectivement été licencié, je décidai de vaincre le sommeil et d'aller une fois de plus répondre aux appels anonymes que recevait celui que j'appelais déjà mentalement «Jos-la-badloque», soit Jos-La-Poisse. La voix fut fidèle au rendez-vous et me reconnut. J'en déduisis que, peut-être, un voisin malveillant surveillait sa victime, savait qui venait chez lui, convoitait ses maigres biens ou se vengeait lâchement. Lorsque je voulus connaître les présumées «fautes» que la voix imputait au pauvre M. Lacasse, je me fis rabrouer.

— Lacasse n'a pas fini d'expier et vous, pour vous êtes mêlé de tout ça, endurerez également des adversités, me dit la voix.

— Allez au diable avec votre dispositif filtrant pour modifier votre voix et votre mise en scène à quatre sous, lui répondis-je. Les adversités, tout le monde en connaît. Je ne suis pas impressionné. On va vous pincer, ne vous en faites pas…

— Ah! Oui? Et avec quelle armée? déclara le lâche personnage.

Jos Lacasse continua à se faire harceler pendant plusieurs semaines et, comble de malchance, se fit voler sa vieille voiture qui lui permettait de chercher du travail en s'extirpant de la gadoue de Longueuil-Est, au lieu d'attendre les autobus irréguliers de Laval Transports, surnommée «Laval-en-retard», dans lesquels on montait avec des bottes de caoutchouc comme en ont les cultivateurs. On les changeait au terminus où on les laissait dans une sorte de consigne pour pouvoir se présenter en des lieux «civilisés» avec des chaussures convenables.

C'est alors qu'avec Jos Lacasse, je fis des pieds et des mains pour intervenir auprès de la compagnie de téléphone afin de régler la question. Excédée et ne voulant pas que cette affaire s'ébruite inutilement, la direction de la compagnie d'utilité publique mit en œuvre les moyens techniques les plus avancés pour débusquer le harceleur. Les résultats s'avérèrent pour le moins étranges. Lors d'un ultime «appel de minuit», Jos Lacasse réussit à garder suffisamment longtemps le mystérieux interlocuteur sur la ligne. À l'issue de cette conversation, où il recourut à maintes astuces pour garder la «voix» présente, un inspecteur de la compagnie nous rappela l'air mi-figue, mi-raisin.

— Avez-vous découvert le mauvais plaisantin ? lui demandai-je.

— C'est-à-dire qu'on ne sait pas…

— Vous devez bien avoir le numéro de ce type ? Allez-vous le dénoncer aux autorités pour harcèlement ?

— Oui, nous avons un numéro, mais c'est-à-dire que…

— C'est-à-dire quoi, au juste ? Savez-vous d'où il a appelé ?

— Nous n'y comprenons rien. Il s'agit de l'ancien numéro de la morgue de Montréal…

Lacasse manqua défaillir, tandis que je restai confondu par ce mystère : comment pouvait-on appeler d'un « ancien numéro » ? Je doutais fort que les employés de cet établissement, peu réjouissant de par sa fonction, sous la direction d'un très compétent médecin légiste au nom fort approprié de « Dr Binette » – que j'avais d'ailleurs eu l'occasion de rencontrer pour un article – eussent pu jouer des tours aussi pendables en pleine nuit à un infortuné résident de Longueuil-Est. L'énigme demeurait entière. Ne pouvant tirer un article valable de cette histoire abracadabrante, j'écrivis un texte radiophonique d'une demi-heure pour *Nouveautés dramatiques* du réalisateur Guy Beaulne à Radio-Canada, une émission destinée à faire connaître les jeunes auteurs.

J'eus une autre heure de gloire, mais j'appris le lendemain qu'en pleine nuit, après avoir mis le feu au rez-de-chaussée de sa demeure, Joseph Lacasse, dit La Poisse, s'était pendu au premier et avait brûlé avec ses biens sur les lieux de ses tourments. Je ne sus s'il avait écouté mon émission, mais j'en doutai fort. Cela ne m'empêcha pas de ressentir un formidable sentiment de culpabilité, comme j'en avais ressenti lorsque je n'avais pu sauver les petits enfants enfermés dans la cabine de motel alors que je sirotais un Coke devant deux commères trop bavardes. Chien de métier!

À l'exception de quelques anciens amis pigistes de Radio-Canada, mon seul fan-club fut Suzal, qui imagina une éventuelle remise en ondes de ma petite nouveauté dramatique en créant un accompagnement inédit à l'orgue. Elle me le fit savoir en me téléphonant clandestinement de son couvent. Il y avait tant d'amour et de dévotion dans sa voix que je décidai de la rebaptiser. J'en avais assez des prénoms laidement traficotés sous prétexte de modernité, d'originalité et de rejet du christianisme comme Suzal, Marie-Pier, Nickhole, Elle-Haine ou Hughate. Pour moi, elle s'appellerait dorénavant Ophélie, sans doute à cause de celle de Shakespeare puis de Rimbaud, dont des souvenirs flottaient dans ma mémoire :

C'est qu'un souffle, tordant ta grande chevelure,
À ton esprit rêveur portait d'étranges bruits,
Que ton cœur écoutait le chant de la Nature
Dans les plaintes de l'arbre et les soupirs des nuits.

Chapitre 14

La nouvelle me parvint brusquement. Ophélie avait tout arrangé. Tout d'abord, elle m'avait fait expédier à la sœur supérieure de son couvent une fausse lettre signée par son oncle l'autorisant à rentrer chez elle pour la fin de semaine. Elle avait ensuite demandé à Théo de ne pas l'appeler au couvent sous prétexte de ne pas être dérangée dans la préparation de ses prochains examens. À moins d'une malchance abominable, la fin de semaine nous appartenait.

Je réservai donc une chambre à l'auberge du lac des Douze-Îles, un petit hôtel tranquille dont le propriétaire, Roger Lirette, était un vieil ami peu inquisiteur sur l'état civil de sa clientèle. À vrai dire, je ne savais guère quelle attitude adopter. Ophélie, mineure et fragile, n'était pas la grosse Patsy et notre désir fou était davantage d'être ensemble que de nous livrer à une banale coucherie aux conséquences périlleuses. Malgré tout, je décidai de jouer la partition par oreille et de laisser aller. On verrait bien sur place jusqu'où cette parodie de ce que nous appelions déjà notre «voyage de noces» nous conduirait. Prétendre le contraire eût été peu réaliste.

Je récupérai Ophélie non loin du couvent, sur Maplewood, avec ma vieille voiture laissant derrière elle un nuage de fumée huileuse. Il s'agissait en somme d'une forme d'enlèvement qui nous amusait beaucoup malgré son manque de classe. Puis, nous filâmes sur la route du Nord menant vers les Laurentides. Nous ne pensions qu'à notre amour, agissant à l'aveuglette, sans projets vraiment précis. Arrivés à l'auberge, notre émotion fut grande en pénétrant dans la chambre. Nos cœurs battaient la chamade, mais nous nous gardâmes bien de nous livrer prématurément à des familiarités trop prévisibles. Nous étions comme deux enfants, éblouis de nous retrouver enfin seuls. La journée étant belle, nous décidâmes de louer pendant quelques heures un canot automobile pour nous promener sur les eaux encore froides du lac. Je fut surpris de constater comment cette enfant choyée pilotait d'une main sûre et résolue. Elle conduisait résolument l'embarcation comme elle dirigeait sa vie, malgré la lourdeur de la surveillance de son oncle. N'était-ce pas elle qui avait organisé cette périlleuse fin de semaine ?

En fin d'après-midi, elle insista pour passer à l'église voir s'il y avait un orgue, mais on n'y trouvait qu'un harmonium. Elle me demanda d'intercéder auprès du curé pour en jouer. Je la présentai donc au prêtre sous un nom d'emprunt en expliquant que ma « blonde »,

qui préparait un concours de musique, tenait à pratiquer son jeu même les fins de semaine. Le brave homme
lui accorda un essai et fut émerveillé par la maîtrise de
l'organiste de mon cœur. Au bout d'un moment, il lui
demanda même de jouer le lendemain à la messe de
midi, qui ne comportait généralement pas de musique,
de manière à ne pas froisser la joueuse d'harmonium
en titre du village, qui tenait l'instrument lors de la
grand-messe de 10 heures 30. Ophélie accepta avec
joie. Je me demandais comment elle allait pouvoir
concilier une soirée probablement peu sage avec un
lendemain de musique sacrée, mais l'attrait du fruit
défendu attisait curieusement nos pulsions juvéniles.

Le soir, nous chargeâmes de piécettes le juke-box
Wurlitzer de la salle commune pour danser en compagnie d'autres villégiateurs et clients des lieux sur les
succès des Four Lads, dont le plus récent, *Standing on the
Corner Watching All the Girls Go By*. La soirée se termina
par une présentation de chanteuses country dont les
complaintes naïves nous firent monter les larmes aux
yeux. Émerveillés de nous retrouver ainsi, loin de
la promiscuité des café d'étudiants ou des charmes
discutables du «parking» dans les cimetières, nous
ne savions quelle attitude adopter. Nous jouions aux
adultes prétendant vivre enfin leur vie.

Vers onze heures, nous remontâmes dans notre chambre sans trop savoir quelle attitude adopter. Ayant apporté dans ses bagages un petit pick-up portatif, Suzal mit en sourdine un disque de l'intégrale de Bach interprétée par la grande organiste Marie-Claire Alain, son idole. Ces accords immortels couvraient le tintamarre de la salle d'en bas, où s'égosillaient les chanteuses country et quelques fêtards attardés. Curieux mélange de genres. Ophélie installa également une profusion de bougies aux quatre coins de la pièce. L'atmosphère était à la fois festive et mystérieusement vampirique. D'un côté, la musique un peu grivoise du bon peuple, et de l'autre, la gravité d'un instrument voué au culte du Très-Haut. Une allégorie de notre vie, en somme. Et alors, qu'allait-il se passer dans cette chambre? Malgré mon désir fou, il n'était pas question de me jeter sur cette délicate créature pour affirmer ma virilité. Je l'aimais trop pour la décevoir. Dans cette pièce, il n'y avait pourtant que deux endroits où nous retrouver : un fauteuil et un lit.

Ophélie disparut dans la salle de bains, revint habillée d'une charmante chemise de nuit de petite fille et se glissa entre les draps.

« Viens, Mamour… » me dit-elle d'une voix tremblante en utilisant ce terme de tendresse désuet.

Je me précipitai à mon tour dans la salle de bains pour revêtir un pyjama et la rejoignit, émerveillé. À son seul contact, je crus défaillir. Ce dont nous avions tant rêvé se réalisait. La fraîcheur de sa personne me semblait être l'aboutissement d'une recherche qui avait pris des années et, à cet instant précis, étant donné que l'avenir se présentait sous des auspices plutôt sombres, mon plus cher désir aurait été de mourir sur-le-champ dans ses bras.

Elle comprit sans doute mon désespoir, d'autant plus que mon cœur s'affolait et que, l'oreille collée sur ma poitrine, elle en ressentait les battements désordonnés. C'est alors que, devinant mes pensées, elle se redressa.

— Tu vois, me dit-elle en me montrant une petite boîte oblongue qu'elle avait dissimulée jusque-là. Il s'agit d'un contraceptif de contact à base de quinine, un produit anglais qu'une de mes amies a subtilisé à sa mère…

Je n'en revenais pas. Elle avait pensé à tout. Je m'émerveillais de sa prévoyance lorsque mon enthousiasme se trouva quelque peu atténué.

— Mamour, je voudrais te demander quelque chose : ne gâchons pas ce moment. Après maintes réflexions, j'avais pensé me donner intégralement à toi, mais j'ai changé d'avis. D'abord, cette méthode de contraception anglaise est loin d'être pleinement efficace et, même si elle l'était, je ne voudrais pas que notre union soit consommée maintenant.

— Pourtant, il me semble que tu avais tout organisé, hasardai-je, un peu déçu.

— Tout cela est symbolique, d'autant plus que, pour moi, il s'agit de la première fois. Ne réduisons pas cette belle soirée à un simple réflexe dont les conséquences pourraient être désastreuses pour nous deux. Il y a d'autres moyens de nous aimer en évitant quelque accident… Notre avenir ne sera pas facile, mais il sera beau et nous aurons ensemble des carrières passionnantes, faute d'être forcément lucratives. Je me vois déjà vivant avec toi, partageant tout…

— … avec ta famille dans le tableau, ton oncle et ses sbires !

— Tout cela s'arrangera. Ce n'est pas la première fois qu'un jeune couple fait face au désaccord des familles…

Au fond de moi, je savais qu'elle avait raison, même si elle me faisait le numéro de la vierge hésitante que pratiquaient tant de jeunes filles à cette époque et qui m'énervait souverainement. Je l'aimais et la respectais tant que sa seule présence contre moi était déjà une bénédiction. En effet, même si j'avais également pris mes précautions en prévision de cette fin de semaine, je me gardai d'insister. Nous avions réellement toute la vie pour nous connaître, bibliquement parlant, et l'idée de la forcer de manière imbécile me révulsait au plus haut point. Allions-nous jouer au faux ménage alors que notre plus cher désir était de nous unir éventuellement pour toujours? Elle avait raison et la musique de Bach, en fond sonore, conférait une certaine solennité à notre entente tacite. Bientôt, après une nuit de caresses, de baisers fous et de flirt insolent à la limite de l'irréparable, nous sombrâmes dans un sommeil profond, trop épuisés pour nous lever afin d'arrêter le chuintement lancinant de l'aiguille du phonographe, qui tourna jusqu'au matin. Un oiseau de nuit accompagnait obstinément ce bruit mécanique de son chant et nous souriions aux anges, perdus dans nos songes, fiers de ne pas avoir succombé à une étreinte trop facile alors qu'il nous restait une éternité pour nous découvrir. Nous nous levâmes sonnés vers onze heures, car Ophélie, que je qualifiais dorénavant de «belle noyée» en l'honneur de l'héroïne de Shakespeare et à cause de sa chevelure répandue sur l'oreiller, devait jouer à l'église.

Nous nous rendîmes à l'édifice du culte comme à un mariage. Tenant l'harmonium avec la maîtrise d'une professionnelle, elle se dépassa, conférant à l'humble instrument un statut de grandes orgues. Elle interpréta du Palestrina et du Widor avec une telle fougue que le curé la remercia après la messe, l'invita à revenir, et que les fidèles, peu habitués à de telles somptuosités musicales, applaudirent avec une spontanéité inattendue. J'étais en extase devant cette fille qui, j'en étais persuadé, allait devenir une grande artiste. D'ailleurs, le public ne s'y était pas trompé.

Malgré un soleil de printemps, l'après-midi fut teinté de mélancolie. La perspective de rentrer en ville à la suite de la longue file de voitures qui empruntaient la route du Nord était d'avance peu réjouissante. L'idée de fuguer nous effleura. Oui, mais avec quelles ressources ? De risibles bagages de villégiateurs, un tourne-disque, une poignée de dollars et ma «Ferrarouille» 1938 ? Et que dire de l'accusation de détournement de mineure qui me pendait au nez et de l'abandon des études d'Ophélie, dont la carrière était si prometteuse ? Quand allions-nous nous revoir ? Toute fréquentation officielle nous étant interdite, seule la patience était de mise. Après avoir décidé de passer un autre séjour du même genre avant les grandes vacances, peut-être la semaine suivante, le cœur déchiré, je déposai Ophélie et ses bagages non loin de son couvent.

Au cours de la semaine, je courais après des sujets d'articles que je me faisais refuser par les hebdos. Tout au plus pouvais-je vendre des miniarticles à 50 sous chacun aux journaux à potins remplis de petits textes truffés d'initiales suivies de points signifiant que leurs éditeurs ne voulaient pas prendre le risque de citer franchement le nom des personnes impliquées. Même les journalistes confirmés jouaient ce jeu pas très reluisant pour se procurer des revenus supplémentaires, tandis que les lecteurs raffolaient de deviner quelles célébrités réelles ou désirant l'être se cachaient derrière ces mystérieuses initiales. L'avantage était qu'il n'était pas nécessaire de signer. Les vieux du métier pouvaient également arrondir leurs fins de mois en faisant des « traductions » pour la Ville de Montréal. Il s'agissait en fait d'une rémunération occulte pour les chroniqueurs influents ayant à l'époque toujours un bon mot à dire sur l'administration corrompue de l'imposant et coriace maire Camillien Houde. Des traductions réelles vers le français ou vers l'anglais, il en existait, certes, mais elles étaient également réservées aux louangeurs serviles de la presse couvrant l'hôtel de ville, à une époque où, faute d'école de journalisme, les rédacteurs comme moi faisaient souvent des séjours plus ou moins longs dans les bureaux d'agences de presse comme la Canadian Press ou la British United, où une connaissance sérieuse de l'anglais était obligatoire. Tel était le parcours des jeunes s'ils voulaient un jour gagner leur vie dans ce métier.

Occupé à courir après mon pain, je ne remarquai pas tout de suite qu'Ophélie ne m'avait pas appelé, comme d'habitude. Je me consolai en me disant que, peut-être, elle n'avait pas pu avoir accès à un téléphone. Une semaine se passa. Rien. Je me hasardai à lui envoyer un mot sur enveloppe à en-tête de son oncle et de prendre soin de l'expédier de Longueuil-Est. Personne ne censurerait une correspondance familiale. Je lui expliquais qu'elle pouvait convenir d'une date et me la signaler, car j'avais l'intention de passer une fois de plus la fin de semaine au lac des Douze-Îles. Il ne nous restait guère de temps pour vivre ensemble dans l'immédiat, car les grandes vacances approchaient. Je ne reçus ni coup de téléphone ni lettre. Une deuxième semaine se déroula sans nouvelles.

C'est le cœur gros que je montai tout de même dans le Nord, retrouvant à l'auberge la même chambre qui, après avoir évoqué pour moi le paradis, me faisait désormais penser à une cellule de prison. Deux semaines de silence… Que s'était-il passé, au juste?

Heureusement, mon ami Big Moose et l'ineffable Patsy m'avaient accompagné et avaient pris pension eux aussi. Bien que les sujets de conversation de mon ami fussent différents des miens, cela n'empêchait pas de bien nous entendre, car nous avions vécu moult aventures ensemble sur la « Route au tabac » de l'Ontario, et sa prodigieuse force physique m'avait souvent dépanné lorsque les charges à déplacer étaient trop lourdes pour moi. Ce bon géant ayant des capacités d'absorption dignes d'un docker d'Halifax, il prenait souvent le volant lorsque mes réflexes étaient diminués par l'alcool.

Cette fin de semaine-là fut des plus sinistres. Je croisai le curé du village, qui accentua mon désarroi en me demandant des nouvelles de celle qu'il appelait *ma blonde*, « cette merveilleuse petite organiste ». Je dus évidemment prétexter quelque histoire d'examens de fin d'année et lui promis de revenir bientôt avec elle. Le reste du séjour, alors que j'attendais un coup de téléphone de dernière minute à l'auberge m'annonçant des nouvelles hypothétiques de mon amour, je constatai de plus en plus qu'Ophélie semblait s'être volatilisée. J'assistai à une autre soirée country pour faire plaisir à Big Moose et à Patsy, mais cette fois-ci n'appréciai guère les chanteuses qui me semblèrent émettre des sons de crécelles. Alors que je n'avais à peu près rien bu lors de ma fin de semaine de rêve, je tombai dans l'alcool et allai me coucher complètement abruti. Le dimanche, étant toujours sans nouvelles et résolu à tirer cette affaire au clair, je me remis à boire et collai au bar jusqu'à une heure tardive, sous prétexte d'éviter les embouteillages de la rentrée en ville.

Il faisait déjà noir lorsque Big Moose, qui avait été raisonnable, prit le volant pour rentrer à Montréal. Je m'effondrai dans le siège du passager et me mis à somnoler sur-le-champ. Ce qui se passa par la suite me fut raconté par le couple. Alors que la voiture sortait du village et arrivait à l'intersection d'une voie de chemin de fer coupant la route en diagonale, où il ne passait que deux trains par jour, un command-car tout-terrain des surplus de l'armée sortit de nulle part et percuta l'arrière de ma voiture à la manière des policiers américains, de façon à ce qu'elle dévie et se mette à rouler sur les traverses de la voie, un rail entre les deux roues. Puis, le véhicule de combat se mit à nous pousser, défonçant ma malle arrière.

Big Moose maintint le cap malgré les trépidations abominables que causaient les traverses et les têtes de tire-fonds dans la suspension de la vieille voiture et les coups brutaux du véhicule militaire. Mon ami demeura sur la voie jusqu'à ce qu'un de nos pneus éclate et que, franchissant le rail qui défilait sous elle, la Ford sorte du ballast, dévale le talus et se renverse. La porte du conducteur ayant été arrachée, Big Moose, qui avait conservé sa lucidité, se dégagea, m'extirpa prestement de l'épave ainsi que sa petite amie. Il hurla de nous éloigner, mais ce fut Patsy, une femme fortement charpentée, qui me traîna hors de danger. Il était temps, car la voiture qui perdait son essence, ne tarda pas à s'enflammer comme une allumette. Revenus sur la voie ferrée, nous aperçûmes le command-car qui reculait lentement pour reprendre la route et disparaître. Il ne s'agissait donc ni d'un accident ni du geste d'un enragé du volant : on avait voulu nous tuer, et Big Moose nous avait sauvé la vie grâce à son habileté et, peut-être, à son imposante stature.

La journée suivante se passa à établir le rapport de police avec une inévitable «plainte contre personnes non identifiées». J'avais passé une nuit de cauchemar. Nous n'avions heureusement récolté que quelques contusions et écorchures dans cette aventure, mais j'avais perdu ma voiture et mes affaires, qui n'étaient, bien sûr, pas assurées. Pour compléter le tout, il me fallut payer le garagiste local pour enlever la carcasse de ma vieille Ford en contrebas de l'emprise ferroviaire. On me l'avait fortement conseillé pour éviter des histoires avec la compagnie de chemins de fer. De plus, nous dûmes rémunérer un bon Samaritain local, qui avait accepté de nous ramener en ville. Au village, l'enquête succincte de la Police provinciale révéla qu'un véhicule militaire Dodge « du genre WC57 », occupé par deux hommes à l'allure « étrange » – entendons par là « étrangère », selon l'expression populaire –, avait été aperçu dans la région. Ils avaient traîné dans les petits chemins forestiers qui menaient à des chalets, à la manière de chasseurs recherchant un terrain propice, même si nous étions très loin de la saison de chasse. La forêt étant vaste et la saison relativement peu avancée, ces rôdeurs avaient évité de s'attarder dans des endroits publics et de trop s'afficher avec leur tout-terrain afin de ne pas attirer l'attention. J'avais de toute façon été habilement épié, mais par qui et comment le prouver ? L'attitude des agents me fit rapidement comprendre que la police n'avait visiblement pas l'intention de perdre son temps pour une histoire de voiture brûlée.

Le mardi matin, de retour chez moi, je jouai de culot en appelant au couvent pour parler à l'élue de mon cœur, mais une voix hargneuse me répondit qu'on ne dérangeait pas les élèves sauf en cas d'extrême urgence, et l'on me proposa de me passer la sœur supérieure ou de prendre le message, ce que je refusai. Je jugeai cette démarche parfaitement inutile et tout juste bonne à aggraver la situation. De toute évidence, Ophélie était injoignable. Mais pourquoi n'écrivait-elle pas ?

Je repris tant bien que mal mes activités, attendant une lettre ou du moins un appel téléphonique qui me redonnerait vie. Après trois semaines de silence, j'empruntai la voiture du fidèle Big Moose et décidai de me jeter dans la gueule du loup : je demandai audience à Théo qui, à ma plus grande surprise, me reçut chez lui sans me faire de difficultés. Je n'eus pas le temps de lui expliquer le sujet de ma visite, car il commença d'autorité la conversation.

— Je sais pourquoi tu es venu me voir et j'en suis très heureux, car cela réglera un problème. Tu peux t'estimer chanceux. Je suis au courant de tes manigances et de celles de ma nièce Suzal mais, sois tranquille, ça n'arrivera plus : Suzal a quitté les sœurs des Saints-Stigmates à Outremont. Je l'ai mise en pension aux *States*, dans un autre établissement où elle sera encore plus surveillée. Elle y poursuivra ses études de musique et ne pensera pas à des maudites folies…

— Je la retrouverai… Rien ne saurait nous séparer.

— C'est là où tu te trompes. Je n'ai pas investi autant d'argent dans son éducation pour qu'elle perde son temps avec un *cassé* comme toi. Je lui ai fait promettre solennellement de ne pas te revoir ou te parler. Jamais. Tiens, regarde cette lettre, me dit-il en me tendant une feuille de format commercial. Je reconnus la chère écriture de mon Ophélie et lus fébrilement ce mot d'une sécheresse inouïe.

Éric,

Ne cherche plus à me revoir ou à me contacter de quelque manière que ce soit.

Si tu tentais seulement une manœuvre dans ce sens, les conséquences pour toi seraient très, très sérieuses.

Crois-moi. Je ne veux que ton bien. Adieu.

Suzal R.

— Ce n'est pas elle! On lui a dicté ce chiffon de papier! m'exclamai-je en jetant la feuille sur le bureau.

— Et pourquoi pas? reprit Théo en s'empressant de récupérer le mot et en l'enfouissant dans un tiroir. Je n'ai pas le temps de jouer avec des lettres d'amour. C'est bon pour les petits caves…

Il prononçait ce mot avec un h aspiré – «khâves» – pour bien exprimer sa colère.

— Écoute-moi bien, car je ne le répéterai pas : j'ai fait jurer à Suzal, *sur ta propre tête*, de ne jamais plus te contacter, par lettre ou autrement, faute de quoi, ce serait toi qui en paierais les pots cassés. Elle a accepté mes conditions. Compris ? Je crois que tu as eu des *samples*, des échantillons, dernièrement…

— Je vois… Le vandalisme sur ma Mercury et la destruction de ma vieille Ford ? Merci, je m'en doutais… Tes babouins et compagnie !

— Butch t'avait prévenu. Et, comme je te le disais, tu peux t'estimer extrêmement chanceux.

— Et pourquoi, chanceux ?

— Parce que tu n'as pas *déviargé* ma nièce. Si tu l'avais fait, tes *chums* et toi seraient restés collés sur la voie de chemin de fer… Oui, j'ai fait examiner Suzal par un ami médecin… Tu as eu chaud mon *tabarnak* ! Mais le *fun* et le *petting* dans les petites auberges, c'est fini. *Over !* Tu devrais me remercier pour ma générosité. Je n'aime pas ceux qui jouent avec le feu et qui contrarient mes plans.

— Tu utilises des méthodes d'un autre âge. Des méthodes de sauvage. C'est dégueulasse! Tu te fous de nos sentiments! Suzal et moi, nous nous aimons! ajoutai-je avec une candeur désarmante.

— Je n'en ai rien à *crisser*. Je n'aime pas que l'on désobéisse à mes ordres. Point final. Faut que ça marche comme je veux. Cela fait deux fois que je t'ai donné une chance. Il n'y en aura pas de troisième. Tu es prévenu et elle aussi. Tu le sais, j'ai les moyens de te calmer pour de bon, car j'en ai neutralisé des plus malins que toi et tu ne peux rien contre moi… Dans le fond, je t'aimais bien, mais vous deux avez été trop loin avec vos fausses lettres aux bonnes sœurs et vos cachoteries… Moi, j'ai une ville à bâtir et une dynastie à fonder. Pas de temps à perdre avec vos parties de *necking*.

Une *dynastie*! Il se prenait pour le César de ce territoire calamiteux. Je regardai dehors par la fenêtre de son bureau le bulldozer étendre les ordures ménagères et les ferrailleurs casser les voitures. Ce triste panorama symbolisait le dépotoir d'où ce dictateur urbain voulait faire sortir une ville tout en s'enrichissant grassement. Et sur ce champ d'épandage avait poussé un lys que je n'avais pas le droit de contempler et d'aimer, que l'on avait transplanté ailleurs, hors de ma portée, probablement dans les verts pâturages américains. Pour s'opposer au régime Robidas, on ne trouvait que certains malheureux organisés en société secrète luttant en vain et se déchirant entre eux, et de braves gens impuissants qui voyaient leur pauvre demeure vandalisée pour avoir protesté contre le ventripotent souverain. Il était certain que Théo deviendrait un jour maire et ferait pleinement la loi dans cette ville-chantier en déroute. Déjà, on signalait les aspects positifs de son règne, et il ne manquait pas d'admirateurs, éblouis par certaines de ses réalisations d'utilité publique.

— Bien des *tarlas* disent qu'ils n'aiment pas ma façon d'opérer. Eh bien! Ça te surprendra mais moi non plus d'ailleurs, reprit Théo. J'aimerais mieux pouvoir changer les choses gentiment selon les lois, mais elles sont trop paperassières pour faire avancer les dossiers sans s'empêtrer dans les niaiseries des maudits fonctionnaires qui cherchent à compliquer les choses pour se donner de l'importance. Alors je prends le lance-flammes et je passe; comme Huey Long, je combats le feu par le feu! Ceux qui ne sont pas contents peuvent aller se faire mettre... Et ce ne sont pas les justiciers du pauvre dans le genre Jean Drapeau qui vont me faire la *job*! Ici, ils ne peuvent pas m'atteindre; ils n'ont aucun droit et ils le savent!

Qui étions-nous, Suzal et moi, pour nous mesurer à cette falaise de force brute, cette obstruction où le bien le disputait à la banalité du mal de manière si évidente ? La fragile Ophélie se trouvait noyée pour de bon, mais dans un étang de compromissions qui ressemblait davantage à un flot d'égouts. Son esprit d'initiative, sa douceur et les sentiments sincères qu'elle éprouvait à mon égard avaient été foulés aux pieds par son oncle, qui lui avait présenté un choix déchirant : une future carrière brillante ou bien une simple suppression de vivres, une expulsion, une existence précaire avec un chasseur de nouvelles aux ressources non assurées à qui l'on pouvait, pour la bonne mesure, mener une vie infernale pour le faire éventuellement disparaître de la surface de la planète. Pour sauver le petit journaliste de tous sévices, il suffisait de s'engager à ne plus le revoir. Mon simple rêve d'amoureux avait été bousculé comme Big Moose, Patsy et moi l'avions été par le massif pare-choc d'un véhicule de combat, des brutes à son volant. La loi des babouins, comme pour bien des élections truquées, s'appliquait également à ma survie. Un père ou un tuteur bourgeois auraient posé des conditions à des fréquentations comme les nôtres, mais pas un parvenu qui imposait là sa volonté avec des méthodes mafieuses. Je fus pris d'une nausée incontrôlable, d'un sentiment de révulsion majeur. Comment pouvait-on agir ainsi en plein

XXe siècle dans un pays dit civilisé ? Je sortis sans dire un mot, heureux de prendre l'air en me jurant de ne plus jamais me laisser berner à nouveau en rêvant naïvement de contribuer à ce que je croyais être une œuvre de pionnier.

Après m'être fourvoyé dans un journalisme local avec les résultats que j'avais obtenus, après avoir été affaibli par les puissances négatives d'une ville au nom maudit, je recherchai une vie plus tranquille. J'avais toutefois la nostalgie de mon ancien métier, mais surtout une tristesse immense à l'idée de mon amour perdu. On me proposa un travail occasionnel dans une agence de publicité où je pouvais traduire les mérites de la lessive Dreft ou ceux des popcorns de Kellogg. On me confia même la rédaction de textes pour le fabricant de dessous féminins MoonMart, dont la Libanaise Leilah Soutab était l'icone.

C'est vers cette époque que, passant un jour rue de la Montagne, je tombais sur une boutique de frivolités dont le nom me rappelait quelque chose : Sapho's Dream. Je me souvins de la carte que m'avait donnée Perreault. J'entrai par curiosité, croyant glaner quelques idées pour mes annonces, et y retrouvai la propriétaire, Leilah, ma cavalière d'un soir de barbotte à Longueuil-Est, celle qui aimait tant les « winners », les gagnants, les hommes pleins aux as. Un peu par masochisme, voulant peut-être boire le calice jusqu'à la lie, après avoir parlé chiffons, je lui racontai mes déboires. Je m'attendais à ce que celle qui, pendant des mois, avait fait rêver les mâles dans les transports en commun se moque de moi et me conforte dans mes préjugés sur les filles aux chemisiers ouverts et à la personnalité un peu trop voyante. Curieusement, elle fit preuve d'une compassion inattendue et m'invita à souper chez elle le soir même. Nous étions en fin d'après-midi, la boutique fermait à 17 heures 30, et son appartement se trouvait au-dessus de cette dernière.

Confidences pour confidences, elle me raconta à son tour son passé difficile au Liban, son arrivée à Montréal et le chemin qu'elle avait parcouru dans la communauté du prêt-à-porter. D'origine chrétienne maronite, c'est avec des larmes dans les yeux qu'elle me confia comment elle avait rompu avec son ami le fils Goldman, l'héritier de MoonMart, qui allait épouser une fille de religion hébraïque sur l'insistance de ses parents, réticents à l'idée de le voir s'engager avec une *shiksa*, c'est-à-dire une personne d'une confession différente. Bien qu'étant intégrée dans le «rag business» ou monde de la fripe, ces déconvenues amoureuses avaient affecté profondément Leilah qui s'apercevait en vieillissant que le monde de la *tchatche*, de l'apparence et de la frime n'était pas tout dans la vie. Aussi fus-je très surpris de la voir me demander, après un souper bien arrosé, de rester pour lui tenir compagnie. La carapace de l'Orientale, reine des silhouettes géniales pour affichettes d'autobus, craquait devant mes banales histoires de cœur dont elle aurait pu facilement se moquer. Je m'attendais toujours, un peu par défaitisme, à ce qu'elle raille l'objet de mon chagrin. Que lui importait au fond une musicienne ingénue, fille à papa, que l'on avait enlevée et cachée dans quelque donjon ? Ce fut loin d'être le cas.

La suite était prévisible. Nous tombâmes dans les bras l'un de l'autre et quoiqu'ayant l'impression de trahir mes amours mortes, je saisissais ce cadeau inespéré que la vie m'offrait en pensant que les filles que l'on prétend faciles ont parfois un cœur plus généreux que leurs charmes. C'est ainsi que nous nous consolâmes sans arrière-pensée de nos désillusions respectives.

Cette aventure sans lendemain fut pour moi comme un tonique qui me permit de reprendre goût à la vie. Je pris la ferme résolution de m'éloigner – du moins temporairement – des personnages politiques et de leurs sbires et en me mettant au service de l'industrie et du commerce pour vanter les mérites de leurs produits ou décrire le fascinant cycle des substances chimiques dans la tuyauterie de l'usine de peintures numéro 5 de la CIL. Longueuil-Est poursuivrait son irrésistible progrès sans moi.

Dix ans plus tard, un jour que j'assistais à un concert d'orgue à l'Oratoire Saint-Joseph, je revis Suzal, mon Ophélie, à son insu. Je trouvai que son jeu, quoiqu'étant celui d'une virtuose, était devenu impersonnel et glacial. Devant des critiques pas toujours flatteurs mais néanmoins courtois, elle accorda ensuite dans un coin de la basilique des interviews d'une voix acariâtre, que je ne reconnus pas, d'autant plus qu'elle adoptait un accent mi-français métropolitain, mi-anglais qui ne lui convenait aucunement. Lorsque les chroniqueurs lui firent remarquer cette particularité, elle rétorqua qu'à cause de ses concerts en Europe elle avait «pris ses distances avec le folklore québécois» et que, de toute façon, sa carrière devait se plier aux exigences des critères internationaux. Ajoutant au passage qu'elle ne faisait entretenir son précieux orgue, récupéré sans doute chez son oncle, que par des facteurs américains de l'Oregon, alors que nous en possédons de mondialement reconnus près de Montréal, elle me parut artificielle et d'un snobisme affecté. Par ailleurs, mariée à un impresario et producteur de disques sexagénaire, sa promotion était assurée, car on ne pouvait syntoniser une de nos rares stations de radio diffusant de la musique classique sans tomber sur un disque produit par cet entreprenant promoteur.

Quoique m'étant approché d'elle avec la foule des reporters et des admirateurs, dissimulé par un collier de barbe et des cheveux longs à la mode du jour, je me gardai de me manifester et celle que j'avais rebaptisée Ophélie ne me reconnut pas dans la foule. Ce qui me fit le plus de peine, c'était qu'elle ne semblait guère épanouie et paraissait être devenue une de ces femmes tombées, malgré leur inclinaison naturelle à la sensibilité et à la douceur, dans un monde d'affairistes particulièrement rageurs. La délicate artiste aurait pu dorénavant être la propriétaire d'une chaîne de vente pyramidale ou quelque impitoyable directrice de société de prêts usuraires, tant elle faisait une promotion agressive de ses disques. Qu'aurais-je pu lui dire d'ailleurs ? J'étais heureux de son succès mais constatais qu'il ne lui avait certainement pas apporté le bonheur. Le cœur en peine, je la suivis des yeux alors qu'elle montait dans une limousine noire. Mais s'agissait-il de la même personne au fond ? « On ne se baigne jamais deux fois dans le même fleuve », disait déjà un penseur de l'Antiquité. Cette triste constatation me laissait un arrière goût de cendres.

Cette rencontre plus que discrète avec celle qui avait été ma raison de vivre mit définitivement un terme à tout un pan de ma vie non sans laisser des cicatrices. Avoir été, volontairement ou non, infidèle à ses rêves de jeunesse constitue l'une des constatations les plus douloureuses et les plus tristes que l'on puisse faire, mais se complaire en de vains regrets ne sert à rien, sinon à vous rappeler les moments les plus doux de votre existence, à les pleurer et à vous aider, peut-être, à poursuivre votre route.

Ce n'est donc que de loin que je suivis dorénavant les aventures et les démêlés de Théo Robidas, le «Mero mero». Celui-ci amassa des biens considérables en forçant le destin grâce à ses méthodes contraignantes. Il devint maire de Longueuil-Est et le resta pendant trois ans, un premier magistrat guère plus mauvais qu'un autre et peut-être même meilleur, car même ses critiques dits «progressistes» reconnurent qu'il avait fait davantage pour la population que ses prédécesseurs. Comme son modèle, Huey Long, il avait recouru à des moyens peu orthodoxes mais, à la différence de l'homme politique américain, qui n'amassa aucune fortune malgré le fait qu'il fût avocat, Théo s'enrichit et fonda une dynastie triomphale ayant toutes les apparences de la respectabilité. Ses membres utilisèrent en effet par la suite les mêmes techniques que leur fondateur en les affinant et en les adaptant à leur époque. Nombre de bien-pensants qualifièrent le régime Robidas de «règne de la pègre». Ils avaient beau jeu avec une population défavorisée qu'il n'était pas difficile de salir un peu plus. Il aurait en effet été hasardeux pour eux de discuter l'honorabilité des édiles et des résidents des riches banlieues montréalaises, présumés intouchables. Tout comme Long, Robidas se montra un politicien retors, un virtuose de la collusion, mais il transforma malgré tout son milieu. Démagogue, il tint néanmoins une partie de ses promesses électorales. Dénué de formation, il parvint à établir une administration qui lui survécut. Dictateur et opportuniste, il n'était pas exempt d'idéaux. Voilà pourquoi nombre de gens ne pouvaient s'empêcher de l'admirer, ne serait-ce que pour ses actes de charité fortement publicisés. Bien des magistrats municipaux de Montréal ne pouvaient se vanter d'avoir obtenu de si beaux résultats.

Paradoxalement, le dénigrement systématique de Longueuil-Est et de ses habitants par un grand public révolté et une presse à l'affût de scandales servit les intérêts de beaucoup de promoteurs immobiliers, qui firent de bonnes affaires en rachetant nombre de propriétés à bas prix et en les revendant ensuite plus cher avant que la calamiteuse cité ne fusionne avec

Longueuil, dans les années soixante, ainsi que plusieurs de ses voisines. Les pauvres, qui avaient déjà beaucoup pâti pour garder leur patrimoine, payèrent donc une fois de plus le prix de ces transactions honteuses destinées à les dépouiller. Au cours de ces changements et de l'assainissement municipal, on oublia jusqu'au nom que portait la banlieue si critiquée, ainsi que celui de l'homme qui imposait sa loi d'une main de fer sur une partie de la Rive-Sud. Au fil des ans, les premiers pionniers, ceux qui avaient survécu à la misère, disparurent insensiblement, leur mémoire enfouie dans la fosse commune de la petite histoire régionale.

Tout allait pour le mieux dans le meilleur des mondes. Après des années d'efforts, Théo Robidas triomphait sur toute la ligne. Jean-Edgar Dugré, le roi de la machination, avait rejoint pour sa part les hautes sphères de la fonction publique provinciale après avoir sabordé la société secrète qu'il avait si longtemps animée en qualité de Grand Bailly, ainsi que le journal prétendument prometteur qu'il dirigeait. Lui aussi avait été marqué par Longueuil-Est, où il ne se montrait que pour conspirer. Quant à Valmy Lapierre, le jeteur de revendications et chantre de la libération par des moyens extrémistes, il se lança en politique avant que celle-ci ne lui réserve des retours de flammes et qu'il se retrouve hors-la-loi. En ce qui me concerne, la ville que je tenais tant à défendre m'avait déçu sans le vouloir. Insensiblement, elle avait été la cause de la destruction d'un grand rêve et d'un amour irremplaçable, et ce n'est qu'avec grande réticence que, le cœur éternellement meurtri, je me rendais sur son sol, lieu de mon bonheur et de mes peines, lorsque mes affaires m'y appelaient. Une citation oubliée de Virgile me revenait alors à l'esprit : *Hæret lateri lethalis arundo* — «Le trait mortel reste attaché à son flanc.» L'animal blessé a beau courir, il traîne dans sa plaie la flèche qui finira peut-être par avoir raison de lui. Je tentai donc d'oublier le nom d'Ophélie et de Longueuil-Est. Afin de préserver ma santé mentale, je me recyclai dans une tentative pour faire abstraction de ce monde insensé. Toutefois, comme le disait déjà un philosophe grec voilà vingt-cinq siècles : «Rien ne naît ni ne périt, mais des choses déjà existantes se combinent, puis se séparent de nouveau.»

Je devais découvrir plus tard combien certains des personnages de votre jeunesse peuvent vous rattraper aux carrefours de la vie, comme l'avait fait l'irritant Monseigneur Plessis au début de ce récit. Ce fut mon cas mais, comme l'écrivait un célèbre auteur : «Ceci est une autre histoire.»

MARQUIS

Québec, Canada